mot à mot

PAUL HUMBERSTONE

Hodder & Stoughton

A MEMBER OF THE HODDER HEADLINE GROUP

D0302195

Introduction

Few have wept at the demise of the vocabulary test of yesteryear, with its portcullis, sluice-gate and monkey-puzzle tree. The welcome we have extended to the micro-chip, the falling birth-rate and the greenhouse effect has somehow left unanswered the question as to how the student acquires vocabulary now that it is no longer considered sensible to learn lists of trees on the bus to school. It has not been proved, to my knowledge, that authentic teaching materials enable the student to learn words by osmosis. It is far from certain that vocabulary notes taken in class (even if not subsequently mislaid) provide an adequate source of revision. The mere fact that topic-based language learning involves a variety of skills, and possibly even lessons with different teachers, makes the acquisition and the revision of vocabulary an altogether more complicated process than it once was.

No student can become articulate in a foreign language without making an effort to learn vocabulary. However effectively you cover a topic in class, you cannot expect all the material to remain forever available for instant recall unless you revise it regularly. Your memory prefers orderly presentation. It cannot be expected to cope with messy marginal notes or last-minute cramming of umpteen forgotten topics.

This revised edition is designed to help with the continuous process of consolidation and revision of vocabulary. It does not systematically repeat GCSE material, although in some topic areas where there is an overlap with GCSE, a 'reminder' section is provided. The book does not contain just a list of words. Much of the material is in the form of phrases, invariably drawn from contemporary newspapers, magazines and radio broadcasts. The translations offered are intended to catch the sense and tone of the French rather than to be beautifully literary. The book does not seek to replace the dictionary, and does not claim to be exhaustive. The student should feel free to compose supplements to each section drawn from other relevant material. Genders are not supplied where there is evidence to show what they are. The definite article is used unless it is inappropriate in the context.

The first and last sections meet a perennial need and a relatively new one respectively. The former has been prompted by my own experience of marking A Level essays. I hope it will encourage students to diversify their turns of phrase. Each heading represents an overworked or lame expression. The last section is designed particularly to assist the increasing number of students who discuss and write about their literary texts in French.

Oral and essay work should benefit from the judicious use of this material. It must not go unsaid, however, that any student of French who wishes to be truly articulate must learn not only the words but the grammar which strings them together.

D.P.H.

ontents

Comment dirais-je?

Quelques suggestions pour enrichir la conversation et la rédaction

Premièrement	**Firstly**	A

préalablement — beforehand
au premier abord/à première vue — at first sight
réfléchissons d'abord à... — let us first consider...
il s'agit d'abord de se demander — we must first ask ourselves
d'abord les faits — first the facts
débrouiller les faits — to sort out the facts
déblayer le terrain — to clear the ground
chercher un point de repère — to seek a point of reference
il est acquis que — it is accepted that
partons du principe que... — let us take as a basic principle that...

remonter de l'effet à la cause — to work back from effect to cause
désigner les sources du mal — to pinpoint the origins of the ill
faire le point de l'affaire — to summarise the issue
de quoi s'agit-il en fait? — what in fact is the issue?
tirer l'affaire au clair — to shed light on the matter
démêler l'affaire — to sort out what is going on
cerner le problème essentiel — to define the main problem
saisir le fond des enjeux — to grasp what is basically at stake
donner quelques précisions — to clarify a few details
dégager quelques points forts — to bring out some important points
le dispositif actuel — the present system
les avantages et les inconvénients — the pros and cons

Il y a un grand problème	**There is a big problem**	B

il existe — there is/there are
on peut constater (que)... — we can see (that)...
notons l'existence de... — let us note the existence of...
n'oublions pas la présence de... — let us not forget the presence of...
il s'agit de... — we are talking about/it's a question of...

la crise — crisis

la difficulté	difficulty
avoir du mal à	
avoir de la peine à	to have difficulty in
éprouver des difficultés à	
un véritable casse-tête	a real headache
l'épineuse question (f)	the thorny question
à l'échelle nationale	on a national scale
européenne	European
mondiale	world-wide
l'opinion publique est ébranlée par...	public opinion is shaken by...
s'alarmer de	to become alarmed by
une situation inquiétante	worrying state of affairs
difficilement maîtrisable	hard to bring under control
un accident conjoncturel	conspiracy of circumstances
la principale difficulté porte sur...	the main difficulty involves...
la controverse porte sur...	the argument involves...
ce qui est en cause, c'est...	what is at issue is...
le fond du problème	the basis of the problem
la pierre d'achoppement	stumbling block
un obstacle insurmontable	an insurmountable obstacle
une tâche quasiment impossible	a virtually impossible task
l'entrave (f)	hindrance
le voyant rouge	red light
tirer la sonnette d'alarme	to sound the alarm
le souci prédominant	main worry
être dans le peloton de queue	to be lagging behind
quelque chose ne tourne pas rond	something is wrong
le bilan est généralement négatif	on balance things are not good
les marges de manœuvre sont faibles	there is little room for manœuvre
les choses prennent une mauvaise tournure	things are going wrong
souligner la gravité de la situation	to underline the seriousness of the situation

C	**Le problème devient plus grand**	**The problem is getting bigger**
	plus inquiétant encore...	what is even more worrying is that...
	une autre difficulté vient s'ajouter	another difficulty crops up

d'autres facteurs contribuent à aggraver la crise	other factors are helping to worsen the crisis
mettre du sel sur la plaie	to rub salt in the wound
la tendance s'accentue	the tendency is increasing
la tendance se prolonge	the tendency is continuing
la situation s'aggrave	the situation is getting worse
s'empire de jour en jour	is getting worse every day
tourne à la catastrophe	is becoming disastrous
arrive au seuil de la catastrophe	is verging on disaster
se répète un peu partout	is occurring all over the place
des obstacles subsistent encore	some stumbling blocks remain
un empilage de catastrophes	a succession of disasters
le problème a pris une telle ampleur que...	the problem has taken on such proportions that...
un avant-goût de ce qui pourrait survenir	a foretaste of what might occur
les problèmes se compliquent lorsqu'on aborde...	the problems get more complicated when you tackle...
pour comble de malheur	to cap it all
mettre le feu aux poudres	to bring things to a head
tout ou presque reste à faire	almost everything has still to be done
atteindre le niveau critique	to reach a critical level

Comment résoudre le problème?

How can the problem be solved?

examiner au cas pour cas le problème	to examine each incidence of the problem
la réponse n'est pas évidente	the answer is not obvious
esquiver le problème	to evade the problem
saisir la question à bras-le-corps	to get to grips with the issue
venir à bout de...	to overcome
surmonter les obstacles	to overcome the obstacles
le gouvernement a intérêt à...	it is in the government's interest to...
il existe de nombreux moyens de...	there are many ways of...
la question est de savoir comment s'y prendre pour...	it is a matter of knowing how to go about...
élaborer une stratégie	to draw up a plan of action
la carte maîtresse	trump card

tenir le mot de l'énigme	to hold the key to the mystery
la guérison de tous les maux	the cure for all ills
la solution qui s'impose	the obvious solution
des mesures d'urgence s'imposent	urgent measures are needed
avoir recours à...	to have recourse to...
l'arme (f) d'ultime recours	the ultimate weapon (i.e. *last resort*)
empêcher qu'une telle situation ne se reproduise	to prevent such a situation from happening again
il faut mettre les bouchées doubles	extra efforts are required
l'essentiel du travail consiste à...	the main job is to...
jouer un rôle bénéfique	to play a positive role
rétablir un équilibre	to restore a balance
faire peau neuve	to get a new image
construire de nouveaux repères	to establish new points of reference
défricher des voies nouvelles	to clear the way for new lines of approach
opter pour une solution médiane	to go for a compromise solution
en dernier ressort/recours	as a last resort
mieux vaut... que de...	it is better to... than to...

E

Important

Important

prendre au sérieux	to take seriously
ne pas prendre à la légère	not to take lightly
souligner l'importance de...	to emphasize the importance of...
il est utile de s'attarder sur...	it is worth dwelling on...
il ne faut pas passer sous silence / tirer le rideau sur...	we must not draw a veil over...
un enjeu capital	a prime issue
la clef de la voûte	keystone
le point crucial du débat	the crucial point of the discussion
le point de mire	the focal point
le débat tourne autour de...	the discussion centres around...
une étape essentielle	a vital stage
le préalable éclairant	the guiding principle
un facteur d'un poids décisif	a factor of decisive significance
peser lourd	to weigh heavily
peser sur tout le monde	to weigh on everybody
provoquer des remous	to cause shockwaves

au nœud du débat	at the centre of the debate
jouer un rôle primordial ⎫	
prépondérant ⎭	to play a major part
il est à noter que...	it must be noted that...
il faut tenir compte du fait que...	we must take into account that...
il faut insister sur le fait que...	we must emphasize that...
l'importance de...	the importance of...
il ne faut pas banaliser le danger	we must not play down the danger
il convient d'élargir le champ de l'analyse pour définir...	it is appropriate to widen the this analysis to define...

Pourquoi?

Why?

formuler la question	to formulate the question
expliquer le pourquoi de...	to explain the reasons for...
la question est de savoir pourquoi	the question is why
il faut essayer de comprendre pourquoi	we must try to understand why
reste à comprendre pourquoi	it remains to work out why
tenter de déterminer les causes	to try to identify the causes
qu'est-ce qui est en cause?	what is at issue?
de quoi s'agit-il en effet?	what is actually at issue?

Parce que/à cause de...

Because/because of...

l'explication (f) tient au fait que...	the explanation is due to the fact that...
cela peut s'expliquer par plusieurs facteurs	several contibuting factors explain this
pour de multiples raisons	for all sorts of reasons
toute la difficulté est de (+ infin)	the main difficulty is to...
réside en (+ noun)	is in...
entrer en ligne de compte	to be part of the problem
mettre qqch. sur le compte de...	to attribute something to...
compte tenu du fait que...	taking account of the fact that...
tenant pour acquis que...	taking it for granted that...
étant donné que...	given that...
vu que...	considering that...
en raison de...	in view of...
face à/devant...	in the face of...

à en juger par... — judging by...
si l'on en juge par... — if one goes by...

H — Des gens pensent que... — People think that...

d'aucuns/d'autres estiment que... — some/others consider that...
certains soutiennent que... — some people maintain that...
d'autres diront que... — others will say that...
certains experts soutiennent que... — some experts maintain that...
selon les chiffres officiels — according to official figures
une étude très fouillée — a very well-researched study
les experts se montrent formels — the experts are categorical
le sondage ⎫
l'enquête (f) ⎬ — opinion poll
prendre un échantillon de la population — to take a sample of the population
sonder/déceler les opinions — to find out what people think
un consensus semble se dégager — a consensus seems to be emerging
nombreux sont ceux qui disent... — there are many who say...
la grande majorité des... trouvent que... — the vast majority of... think that...
selon certaines rumeurs — according to some rumours
on a tendance à croire — people tend to believe
l'idée traîne un peu partout — the view is quite widely held
c'est là une vision fort répandue — that is a very widely held view
il est d'ores et déjà acquis que... — people now presuppose that...
les avis sont partagés sur ce point — opinion is divided on this matter
on a souvent présenté... comme... — ... has often been described as...
il est de notoriété publique — it is (unwelcome) public knowledge
chacun y va de son refrain — everyone repeats his/her view
proposer une piste de réflexion — to suggest a line of thought
le parti pris idéologique — ideological presupposition
réclamer à cor et à cri — to demand loudly, shout for

I — Je suis d'accord — I agree

abonder dans le sens de qqn. — to agree wholeheartedly with s.o.
il faut se rendre à l'évidence — one must submit to the obvious
on considère à juste titre que... — people rightly think that...
évoluer dans la bonne direction — to move in the right direction (e.g. events)

c'est un argument de poids — it is a forceful argument

6

l'argument ne manque pas de poids	the argument is not without force
donner du poids à une hypothèse	to lend weight to a supposition
déclarer sans ambages	to state without reserve
accepter sans broncher	to accept/agree unflinchingly
sans équivoque	unequivocally
se laisser convaincre	to let o.s. be convinced
sans réserve	unreservedly
un jugement sain	sound judgement
un jugement valide	valid judgement
une idée nette/claire	clear idea
juste	sound idea
clairvoyante	perceptive idea
perspicace	idea which shows insight
sagace	shrewd idea
pertinente	relevant idea
persuasive	persuasive idea
convaincante	convincing idea
puissante	powerful idea
une action couronnée de succès	successful action

A mon avis

In my opinion

à mon sens	as I see it
pour ma part	for my part
il me semble que...	it seems to me that...
j'estime que...	I consider that...
je soutiens que...	I maintain that...
je suis d'accord avec ceux qui...	I agree with those who...
je ne suis pas d'accord pour dire	I am not prepared to say
je suis frappé(e) par (+ *noun*)	I am struck by...
je suis persuadé(e) que...	I am convinced that...
il faut bien reconnaître que...	it must be acknowledged that...
il y a de fortes chances que (+ *subj*)	there is a strong chance that...
cela me paraît évident que...	it seems obvious to me that...
trancher entre deux hypothèses	to decide between two possibilities
voir quel parti prendre	to see which side to take
voici ma prise de position:	here is the line I take:
à tort ou à raison	rightly or wrongly
sans parti pris	without prejudice

7

cela me conduit à penser que... that leads me to think that...
ce qui me préoccupe, c'est... what bothers me is...

K

C'est évident   It is obvious

il est fréquent de constater one often finds
les chiffres l'attestent the figures bear this out
cela en dit long sur... that speaks volumes about...
bien entendu naturally
il n'est pas étonnant it is not surprising
il est vraisemblable it is likely
  quasiment certain more or less certain
  hors de doute beyond doubt
il ne fait pas de doute que (*+ indic*) ⎫
nul doute que (*+ indic*)   ⎬ there is no doubt that...
  ⎭
selon toute vraisemblance in all probability
selon toute hypothèse according to all suppositions
  apparence   the evidence
il y a fort à penser ⎫
il y a tout lieu de penser ⎬ there is every reason for thinking
tout porte à penser everything leads one to think
comment s'étonner que (*+ subj*) it is hardly surprising that...
il ne faut pas s'étonner
 que (*+ subj*) one should not be surprised that...
il est normal que (*+ subj*) it is normal (i.e. *not surprising*)
    that...
nul n'ignore (que)... nobody is unaware of (the fact
    that)...
nul ne saurait douter que (*+ subj*) nobody can doubt that...
tout contribue à cette certitude everything contributes to this
    certainty
force est de constater one cannot help stating
cela saute aux yeux it is very obvious
il va de soi que... it goes without saying that...
que... (*+ indic*), c'est l'évidence it is obvious that...

L

Je ne suis pas d'accord   I disagree

l'erreur serait de croire the mistake would be to think
il y a quelque exagération à affirmer it is somewhat excessive to state

on peut à l'inverse soutenir que...	conversely it can be maintained that...
j'y trouve à redire	I find things wrong with this
réagir contre	to react against
remettre en cause	to call into question
exprimer son mécontentement	to express one's displeasure
réfuter une théorie	to reject a theory
condamner nettement	to condemn outright
prendre le contre-pied	to take the opposite view
être fermement opposé(e) à...	to be firmly opposed to...
s'obstiner dans le refus	to dig one's heels in (i.e. *saying no*)

II

une idée monstrueuse	monstrous idea
aberrante	absurd idea
abracadabrante	preposterous idea
farfelue	eccentric idea
inadmissible	unacceptable idea
démentielle	crazy idea
l'idée se révèle fausse	the idea turns out to be wrong
c'est du jamais vu	it's unheard of
c'est le monde à l'envers	it's all upside down
c'est un outrage au bon sens	it's an outrage to common sense
c'est du pur délire	it's sheer lunacy
il est hors de question de (+ *infin*)	to ... is out of the question
l'argument donne naissance à de vives critiques	the argument provokes forceful criticisms
l'argument ne repose sur rien de sérieux	there is no sound basis for the argument
rien n'est moins sûr	nothing is less certain
l'argument ne dépasse pas la surface des choses	the argument only skims the surface
dépassons ces enfantillages	let's get beyong these childish ideas
l'argument ne rime à rien	the argument doesn't add up
recèle de graves ambiguïtés	conceals serious ambiguities
est hautement contestable	is highly debatable
est dépourvu de sens	is senseless
est inventé de toutes pièces	is pure invention

9

est de peu de poids	is insubstantial
est tiré par les cheveux	is contrived
est démenti par les faits	is belied by the facts
l'argument ne concerne qu'une infime minorité	the argument only involves a tiny minority
c'est une politique vouée à l'échec	it's a policy doomed to failure
de l'autruche	of burying one's head in the sand
de mauvais augure	which bodes ill
de faux-semblants	pretending to be something it is not
en panne à tous égards	which has completely collapsed
coupée des réalités du terrain	remote from the realities of life
une approche totalement dépassée	a completely outdated approach
parler à tort et à travers	to speak nonsense
être à court d'arguments	to be short of arguments
débiter des banalités	to dish out clichés
exercer une influence malsaine	to have an unhealthy influence
nager dans la confusion	to flounder around in confusion
raisonner faux	to use false reasoning
employer un raisonnement obscur	to use obscure reasoning

III

contrairement à ce que prétend(ent)...	contrary to the claims made by...
qui pourrait soutenir que...?	who could maintain that...?
croit-on vraiment que...?	do people really believe that...?
où veut-on en venir?	what are they trying to achieve?
il n'est pas normal que (+ *subj*)	it is not normal (i.e. *acceptable*) for /that...
à quoi cela sert-il de...(+ *infin*)?	what is the point of...?
à quoi bon (+ *infin*)?	why bother to...?
rien ne serait plus vain que (de + *infin*)	nothing would be more futile than (to)...
on est en droit de se demander	one has every right to wonder
on peut s'étonner que (+ *subj*)	one might be (justifiably) astonished that...

il est illusoire de s'imaginer que (+ *subj*)	it is fanciful to imagine that...
il est peu probable que (+ *subj*)	it is unlikely that...
il est invraisemblable que (+ *subj*)	it is improbable that...
il y a peu de chances que (+ *subj*)	there is not much likelihood that...
il n'est pas certain que (+ *subj*)	it is not definite that...
il est encore moins certain que (+ *subj*)	it is even less definite that...

Comme j'ai déjà dit
As I have said before

j'en reviens toujours là	I come back to that point again
cet argument renforce ce que j'ai dit	this argument supports what I said
j'ai déjà constaté	I have already established
nous l'avons noté	we have noted the fact
bref	in a word
en d'autres termes } autrement dit	in other words
cela revient à dire que... } autant dire que...	this boils down to saying that...
cela se réduit à...	this boils down to...
et l'on revient à la case départ	and we come back to square one

Et
And

d'ailleurs } de/par surcroît en/de plus en outre	besides
ajoutons que...	let us add that...
il en est de même	the same is true
aller de pair avec...	to go hand in hand with...
on notera au passage	we must note in passing
on peut également constater	one can also see
à noter également que...	it is also worth noting that...

Mais
But

pourtant } cependant néanmoins	however

toutefois	nevertheless
en effet	
en vérité	but in fact
à la vérité	
par contre	
à l'inverse	on the other hand
en revanche	
en tout cas	
de toute façon	in any case
en tout état de cause	
quoi qu'il en soit	regardless of that
n'empêche que	
toujours est-il que...	
il n'en reste pas moins que...	the fact remains that...
il n'en demeure pas moins que...	
il en va différemment pour...	it is not the same in the case of...

P **Donc** | **Therefore**

aussi (+ *inverted verb*)	so
voilà pourquoi	that is why
face à cette situation	given this state of affairs
par conséquent	
par voie de conséquence	as a consequence
d'où	as a consequence of which
par la suite	subsequently
il en résulte/découle (fatalement)	the (inevitable) result of this is
il s'ensuit que...	it follows from this that...
et tout ce qui s'ensuit	and all the consequences

Q **Au sujet de...** | **On the subject of...**

en matière de...	
en/pour ce qui concerne...	where... is/are concerned
quant à	as for
dans le cadre de	
dans l'optique de	in the area/context of
dans le domaine de	
par rapport à	
à l'égard de	
sur le plan de	with regard to
vis à vis de	
à propos de	

En général

une vue englobante des choses	an all-embracing view of things
dans une large mesure	to a great extent
dans une moindre mesure	to a lesser extent
dans l'ensemble	on the whole
dans la mesure du possible	as far as possible
à bien des égards	in many respects
à tous les égards ⎫	
sous tous les rapports ⎭	in all respects
en substance ⎫	
en gros ⎭	substantially
en règle générale	as a rule
tous âges confondus	taking all age-groups into account
à de rares exceptions près	with few exceptions
la quasi-totalité	almost all

Si c'est vrai / If this is true

s'il en est ainsi	if this is the case
admettons/supposons que les choses en soient là	let us admit/suppose that things have come to this
selon cette hypothèse	according to this supposition
le cas échéant	should this arise
dans l'éventualité de...	in the event of...

Euh... / Er...

en un certain sens	in one sense
pour ainsi dire	so to speak
en quelque sorte	in a way
or	so
et ainsi de suite	and so on
entre autres	among other things

On verra / We shall see

la portée pratique d'une décision	the practical implications of a decision
mais qu'en sera-t-il de l'avenir?	but what will the future bring?
que résultera-t-il de...?	what will be the result of...?
reste à savoir si...	it remains to be seen whether...
l'incertitude plane sur...	uncertainty hovers over...

on peut se perdre en conjectures	one could speculate for ever
se garder de tout pronostic	to refrain from making predictions
jugement péremptoire	hasty judgements
prendre son mal en patience	to suffer in silence
rien ne laisse présager	there is no reason for predicting
quoi qu'il advienne	whatever happens
prévoir l'hypothèse dans laquelle...	to foresee a situation whereby...
il est à prévoir que...	it is possible to predict that...
dans la meilleure des hypothèses	if things turn out for the best
l'année s'annonce sous de meilleurs auspices	the year starts with better prospects
de réels motifs d'espoir	real grounds for hope
se dérouler selon les prévisions	to go according to plan
suivre son cours normal	to follow its usual course
cela n'augure rien de bon	that bodes ill
l'heure de vérité approche	the moment of truth is approaching
s'attendre au pire	to expect the worst
faire craindre le pire	to lead one to expect the worst
l'expérience ne porte pas à l'optimisme (m)	experience does not make one feel optimistic
l'optimisme (m)/le pessimisme reste de rigueur	one can only be optimistic/pessimistic
une perspective qui n'incite pas à l'euphorie (f)	a far from cheering prospect

V Le Temps — Time

I

la minute	minute
la seconde	second
l'instant (m)	instant
quelques instants	a few moments
le moment	moment
au bout d'un moment	after a while
un petit moment	a little while
un bon moment	quite a while
l'époque (f)	era, period of time

II

autrefois jadis	in days gone by
le bon vieux temps	the good old days
il y a belle lurette	a long while ago (*reminiscence*)
il y a bien longtemps	a very long time ago
à ce moment-là	at that time
à cette époque-là	in those days
naguère	not so long ago/in recent times
tout à l'heure	a little while ago (*today*)
jusqu'ici	up to now
pour l'instant	for the moment
en ce moment	at the moment
à l'heure actuelle à l'heure qu'il est	at the present time
à l'époque actuelle de nos jours	these days
par les temps qui courent	in the times we are living through
dans les années quatre-vingt-dix	in the nineties
au cours du dernier quart de siècle	during the last 25 years

III

il est grand temps de...	it is high time to ...
tout à l'heure	in a little while (*today*)
bientôt	soon
désormais d'ores et déjà	from now on
dès le départ	from the outset
à partir du moment où	from the time when
du jour au lendemain	overnight
en un tournemain	in no time
d'une minute à l'autre	any minute now
dans l'immédiat	in the immediate future
dans un proche avenir	in the near future
dans un premier temps	in the early stages
dans un second temps	during the second stage
dans les plus brefs délais	as soon as possible
dans un délai de quinze jours	within a fortnight
en l'espace de trois ans	within 3 years (*time taken*)
arriver à (l')échéance (*f*)	to reach the due date
un projet à plus longue échéance	a longer term plan

sans échéance précise	without a definite time limit
tôt ou tard	sooner or later
traîner en longueur	to drag on
toutes ces perspectives apparaissent lointaines	all these visions seem far-off
au fil des années	as the years go by
s'étaler sur plusieurs années	to be spread out over several years

IV

de temps en temps	from time to time
quelquefois	sometimes
tous les deux jours	every other day
tous les quinze jours	every fortnight
à plusieurs reprises	several times over
la plupart du temps	most of the time
bon an mal an	year in, year out

V

au même moment	at the same (period of) time
au même instant	at (precisely) the same moment
à la fois	simultaneously
en même temps	at the same time
dans un même temps	over the same period

VI

à l'avance	in advance
en avance	early, before time
à temps	in time
à l'heure	on time
sur le coup de dix heures à dix heures précises	at exactly 10 o'clock
il est dix heures passées	it's gone 10 o'clock
je ne veux pas vous retarder	I don't want to delay you
je ne vous retiendrai pas longtemps	I won't keep you long
en retard	late
avoir du retard	to be running late
subir un retard	to experience a delay
il se fait tard	it's getting late
il ne va pas tarder	he won't be long

16

VII

dans la matinée	during the morning
plus tôt/tard dans la soirée	earlier/later in the evening
en début de matinée	in the early part of the morning
d'après-midi	afternoon
de soirée	evening
en milieu de matinée, etc.	in the middle of the morning, etc.
en fin de matinée, etc.	in the late morning, etc.

VIII

la tranche d'âge	age group
friser la cinquantaine	to be pushing fifty
avoir soixante ans bien sonnés	to be at least sixty
il n'a plus vingt ans	he's getting on a bit

Finalement / Finally

mettre les points sur les i	to dot the i's
en somme	to sum up
en tout état de cause	at all events
tout compte fait	when all is said and done
à tout prendre	taking everything together
à bien réfléchir ⎫ tout bien réfléchi ⎭	after careful thought
restons-en là de notre examen de...	let us leave our examination of... at that point
j'en viens à conclure que...	I come to the conclusion that...
il s'agit de porter un jugement sur...	we have to make a judgement on...
deux conclusions s'en déduisent	two conclusions emerge from this

En vrac / At random

un contraste saisissant	striking contrast
pour autant qu'on puisse en juger	as far as one can judge
aussi étonnant que cela puisse paraître	astonishing though it may seem
qu'on le veuille ou non	whether you like it or not
au sens strict	in the strict sense of the term
au propre comme au figuré	in the literal as well as the figurative sense
considérer qqch. à tête reposée	to think about sthg. calmly

une goutte d'eau dans l'océan	a drop in the ocean
une broutille	a trifling matter
ne pas écarter la possibilité	not to dismiss the possibility
mi-figue mi-raisin	half-hearted, neither one thing nor the other
comme si de rien n'était	as though it were of no consequence
damer le pion à qqn.	to trump s.o.
à titre d'illustration	as an illustration
remettre les pendules à l'heure	to set the record straight
jeter un linceul de silence sur...	to draw a veil of silence over...
d'après leurs propres dires	according to what they themselves say
une bien maigre consolation	a very poor consolation
dans la pratique / en pratique	in practice
briller par son absence	to be conspicuous by its/one's absence
évoluer de manière sensible	to change noticeably
des chiffres (*m*) fiables	reliable figures
trompeurs	misleading figures
le catastrophisme n'est pas de mise	a gloom-and-doom attitude is inappropriate

La Vie urbaine et rurale

Rappel

Reminder

le citadin	town dweller
le chef-lieu	main town in area
le centre-ville	town centre
le quartier	district within town
l'arrondissement (*m*)	postal district within city
la banlieue	suburb
le faubourg	outskirts
la sortie de la ville	edge of town
le voisinage	neighbourhood
le bâtiment	building
l'immeuble (*m*)	apartment/office block
le grand magasin	department store
le centre commercial	shopping precinct
la grande surface	hypermarket
la zone piétonne/piétonnière	pedestrian precinct
le trottoir	pavement
la place	square
l'hôtel de ville (*m*)	town hall (*large town*)
la mairie	town hall (*elsewhere*)
le domicile	home
un HLM (habitation (*f*) à loyer modéré)	council flat
le logement	accommodation
le loyer	rent
le locataire	tenant
le propriétaire	owner
les sans-logis	the homeless

La Vie urbaine

Town Life

en milieu urbain	in an urban environment
l'urbanisation (*f*)	urban development
l'aménagement (*m*) du territoire	town and country planning

le parc immobilier	housing stock/number of properties nationwide
le cadre/le milieu	surroundings
l'appartement témoin	show flat
l'immeuble (*m*) de grand standing	luxury apartment block
le pavillon	detached house (*often suburban*)
la villa	detached house
le quartier pavillonnaire	residential district with detached houses
la résidence secondaire	second property
la ville dortoir	dormitory town
champignonner	to mushroom
le banlieusard	suburban resident
le pâté de maisons	block of buildings
l'espace vert	area of greenery
faire la navette	to commute
métro-boulot-dodo	underground – work – sleep (*daily routine*)
la mégalopole	megalopolis
la cité/le grand ensemble	estate of blocks of flats
la pénurie de logements locatifs	shortage of rented property
la zone à urbaniser en priorité (ZUP)	priority development area
le quartier défavorisé	neglected area
un immeuble vétuste	run-down building
le logement mal sonorisé	badly soundproofed home
le taudis	hovel
le bidonville	shanty town
le terrain vague	waste ground
la zone industrielle	industrial estate
l'entrepôt (*m*)	warehouse
le chantier	building site
l'assainissement (*m*)	cleaning (*streets etc.*)

C

La Vie rurale

Country Life

La France profonde	the (rural) heart of France
le campagnard	country dweller
l'agriculteur le cultivateur	farmer
les exploitants agricoles	farming community

la culture	crop growing
labourer	to plough
la moisson	harvest
la récolte	harvested crop
le vigneron	wine-grower
le vignoble	vineyard
la vendange	grape harvest
l'éleveur (*m*)	livestock breeder
l'élevage (*m*)	livestock breeding
le bétail	livestock

II

l'exode rural	move to the towns
le dépeuplement	decrease in population
le manque de prestations	lack of facilities
laisser à l'abandon	to leave to rack and ruin

La Vie économique

 A

Rappel	Reminder
gagner	to earn
faire des économies	to save up
dépenser	to spend
débourser	to pay out
gaspiller	to waste, squander
prêter	to lend
emprunter	to borrow
recevoir	to receive
rembourser	to pay back
le/la client(e)	customer
coûter (cher)	to cost (a lot)
payer à la caisse	to pay at the cash-desk
le billet de banque	banknote
le billet de cinquante francs	fifty franc note
la pièce (de monnaie)	coin
une pièce de dix francs	ten franc coin
la (petite) monnaie	(small) change
le compte en banque	bank account
le carnet de chèques	cheque book
la carte de crédit	credit card
un chèque de voyage	traveller's cheque
la livre sterling	pound sterling

B

L'Etat	The State
le Trésor public	public revenue office
la planification économique	economic planning
évaluer les comptes	to weigh up the accounts
la fiscalité	taxation
prélever des impôts	to levy taxes
l'Etat prélève sa quote-part	the State takes its cut
le percepteur d'impôts	collector of taxes

la perception	tax office
l'impôt (*m*) sur le revenu	income tax
la majoration (sensible) des taxes	(substantial) tax increase
la fraude fiscale	tax evasion
l'allègement (*m*)	lightening the burden
l'alourdissement (*m*)	increasing the burden
la TVA (taxe sur la valeur ajoutée)	VAT (value-added tax)
subventionner	to subsidise
accorder des primes	to provide subsidies
canaliser les fonds publics vers...	to channel public funds into...

II

faire tourner l'économie	to keep the economy going
la conjoncture économique	overall economic situation
défavorable	unfavourable
la politique (anti-) inflationniste	(anti-) inflationary policy
l'indice (*m*) des prix	retail price index
un recul de l'épargne nationale	reduction in national savings
manquer de moyens financiers	to lack funds
déclencher une crise	to provoke a crisis
le déficit budgétaire	budgetary deficit
le déficit du commerce extérieur se creuse	the balance of payments deficit is increasing
le repli de l'investissement	fall in investment
l'insuffisance (*f*) de l'investissement	inadequate level of investment
les moyens sont en retard sur les besoins	funds are not keeping up with needs
les retombées économiques	economic consequences
la période de récession	period of recession
le ralentissement	slowing down
une accentuation de la hausse des prix	marked increase in price rises
l'indice (*m*) d'un déséquilibre économique	sign of economic instability
une crise sévit	a crisis is raging
atteindre la cote d'alerte	to reach danger point
l'inflation (*f*) caracole	there is galloping inflation
engager le combat contre l'inflation	to fight inflation
prendre des mesures draconiennes	to take drastic measures

assainir la situation financière	to create a more healthy economic situation
le blocage des prix	price freeze
salaires	pay freeze
relever le taux d'intérêt	to raise the interest rate
prêter au taux de 15%	to lend at 15% interest
le taux de base bancaire	bank base rate (of interest)
l'évolution (f) du taux d'intérêt	changes in interest rates
amortir le coup	to soften the blow
le protectionnisme	protectionism (against imports)
la remontée des taux se poursuit inexorablement	the rise in rates goes on relentlessly
nettement supérieur à la moyenne	well above average
plafonner	to reach a ceiling
les taux reprennent le chemin de la baisse	interest rates start coming down again
un plan de redressement	recovery plan
produire de vrais dividendes	to bring real dividends
la relance de l'économie	getting the economy going again
une fragile reprise s'esquisse	a fragile recovery begins to be perceptible
la croissance économique	economic growth
le PIB (produit intérieur brut)	GDP (gross domestic product)
l'excédent commercial	foreign trade surplus
l'inflation a nettement reculé	inflation has come down considerably
une économie en pleine expansion	rapidly expanding economy
en plein essor	taking off
le boom des investissements	investment boom
le mieux-être matériel	better standard of living
un afflux de capitaux	in-flow of capital
l'équilibre (m) budgétaire	balance between income and expenditure
le risque de surchauffe	risk of overheating
la reprise s'essouffle	the recovery is running out of steam
l'inflation redémarre	inflation is starting to rise again
le paradis fiscal	tax haven

III

une devise/monnaie forte	hard currency
faible	soft, weak currency
solide	strong currency

les devises étrangères	foreign currency
le taux de change	exchange rate
le cours du franc par rapport à...	the value of the franc against...
le franc a perdu du terrain	the franc has lost ground
est en chute libre	is falling in value very fast
la dévaluation	devaluation
le pays débiteur	debtor country
le système monétaire européen	European monetary system
l'unité (f) monétaire	monetary union

La Bourse / The Stock Exchange

C

l'agent de change	stockbroker
le gestionnaire de portefeuilles	portfolio manager
l'investisseur (m)	investor
l'actionnaire (m,f)	shareholder
le placement	
l'investissement (m)	investment
la mise de fonds	
miser sur...	to put one's money into...
des titres cotés en Bourse	shares quoted on the Stock Exchange
les valeurs les plus prestigieuses de la cote	the most sought-after shares
les cours de la Bourse	Stock Exchange prices
les valeurs (f)	securities
les valeurs d'ouverture/de clôture	opening/closing prices
un marché ferme	steady market
une forte hausse des valeurs	strong rise in stock prices
une envolée des marchés	take-off in market prices
réaliser des valeurs	to cash in stocks and shares
décrocher le gros lot	to make a 'killing'
les circonstances incitent à la prudence	circumstances would suggest caution
les cours (m) fléchissent	prices show signs of instability
la baisse (brutale) des cours	(sharp) drop in prices
l'effondrement (m) du marché	collapse of the market
la dégringolade des actions	collapse of share prices
le calme plat	exceptionally quiet trading
le repli passager	temporary fall in prices
le marché remonte la pente	the market is recovering
le mouvement de hausse se poursuit	the increase in prices continues

une importante vague d'achats	a surge in buying
le délit d'initié	insider dealing

 Les Affaires   **Business**

I

une régie d'Etat	state-run industry
l'encadrement (*m*) étatique	state supervision
le secteur public	public sector
le secteur privé	private sector
une entreprise	company
les petites et moyennes entreprises	small and medium-sized businesses
la production manufacturière	manufacturing production
le fabricant	manufacturer
le producteur	producer
le négociant (en gros) le grossiste	wholesaler
le commerce de détail	retail trade
le détaillant	retailer
le consommateur	consumer
les matières premières	raw materials
la fabrication	manufacture
les moyens (*m*) de production	production methods
la fabrication en série	mass production
les marchandises (*f*)	goods
les marchandises de pacotille	cheap and nasty goods
haut de gamme	high-quality goods
la marque déposée	registered trade mark
le produit de marque	high-quality product
le lancement d'un nouveau produit	launching of a new product
partir à la conquête d'un marché	to set out to capture a market
mettre en vente	to put on sale
trouver des créneaux pour diffuser un produit	to find openings to market a product
décrocher un marché	to find a market
déboucher sur le marché	to come onto the market
inonder le marché	to flood the market
se tailler la part du lion du marché	to win the lion's share of the market
la commande ferme	firm order

la livraison	delivery
le service après-vente	after-sales service
l'exportation (f)	export
s'implanter à l'étranger	to get a foothold abroad

II

une période de creux	period when business is slack
les affaires (f) sont en plein marasme	business is stagnant
en pleine récession	in recession
la surproduction	over-production
être touché(e) par la crise	to be affected by the crisis
l'atmosphère (f) est au resserrement	the mood favours restraint
l'offre (f) dépasse largement la demande	supply considerably exceeds demand
un bénéfice faible en proportion de la dépense	small profit in relation to outlay
se répercuter sur le prix du produit	to have a knock-on effect on the the price of the product
l'effondrement (m) des prix	collapse of prices
les coûts (m) de production	production costs
avoir des embarras financiers	to be in financial difficulties
les facilités (f) d'emprunt	borrowing facilities
la carence	insolvency
faire faillite	to go bankrupt

III

le regain d'activité la reprise des affaires	recovery in trading activity
l'essor (m) du commerce	boom in trade
diversifier ses activités	to diversify
le secteur porteur	area with good prospects
le taux de production	rate of production
augmenter le rendement	to increase production
accroître la productivité	to increase productivity
la recherche d'une productivité toujours plus grande	seeking ever-increasing productivity
les usines tournent à plein	factories are in full production
abaisser les coûts (m)	to cut costs
à moindre coût	at a lower cost
la rentabilité	profitability, viability
le prix de revient	cost price

27

une entreprise performante	a high-performance company
l'OPA (offre publique d'achat)	take-over bid
le chiffre d'affaires	turnover
le chiffre de vente	sales figures
le bilan annuel	annual figures
la marge bénéficiaire	profit margin
le carnet de commandes	order book
la concurrence	competition
âpre	harsh
être concurrentiel	to be competitive
la rivalité fait baisser les prix	competition brings prices down
des prix qui défient toute concurrence	highly competitive prices
le (bon) rapport qualité-prix	(good) value for money
se vendre comme des petits pains	to sell like hot cakes
un éventail de prix très large	a very wide range of prices
un prix forfaitaire	a package deal
la vente au détail/à l'unité	retail sale
faire une remise des prix ⎫ vendre au rabais ⎭	to sell at reduced prices
la vente promotionnelle ⎫ l'offre spéciale ⎭	special offer
en solde	at sale price
vendre à moitié prix	to sell at half price
à perte	at a loss

IV

la comptabilité	accounts department
la facture	invoice
envoi contre remboursement	cash on delivery
délivrer un reçu/un récépissé	to issue a receipt

_E_ **Le Budget familial** | **The Household Budget**

I

avoir un travail lucratif ⎫ rémunérateur ⎭	to have a well-paid job
la mensualité	monthly salary
le salaire ⎫ les honoraires (m) ⎬ le traitement ⎭	salary, wages
le salaire brut	gross salary

le salaire net	net salary (*after tax, etc.*)
la revalorisation des salaires	pay review
l'augmentation (*f*)	rise
le rappel	back-pay
la prime de fin d'année	end of year bonus
l'aubaine (*f*)	windfall
la prime de licenciement	redundancy pay
l'allocation (*f*)/la prime de maternité	maternity pay

II

cossu(e)	affluent
les nantis	the well-to-do
avoir une situation aisée	to be well-off
avoir une vie de château ⎫ vie de cocagne ⎭	to live in the lap of luxury
ne manquer de rien	to have everything
les hauts revenus	high salaries
les moyens revenus	moderate salaries

III

les bas salaires	low salaries
toucher un maigre salaire	to be poorly paid
la famille à faibles ressources	low-income family
le ménage à revenu modeste	household with modest income
les personnes défavorisées	disadvantaged people
le coût de la vie	cost of living
le pouvoir d'achat	purchasing power
la disparité des prix et des salaires	imbalance between prices and incomes
un prix abordable	affordable price
courant	normal price
modéré	reasonable price
élevé	high price
inabordable	prohibitive price
les prix flambent	prices are spiralling
hors de prix	absurdly expensive
une nouvelle hausse du prix de...	another increase in the price of...
avoir de grosses charges	to have heavy commitments
consacrer une partie importante de son salaire à...	to spend a large part of one's income on...
subir de plein fouet l'explosion des charges	to feel the full effect of the steep rises in costs

la part du loyer dans le budget ne cesse de s'alourdir	the proportion of the family budget spent on rent goes on increasing
la flambée des loyers	steep rise in rents
le bail draconien	lease with harsh terms
les deux mois de caution	two months' rent paid as deposit
les dépenses (f) d'entretien	maintenance expenses
un faible niveau de vie	a poor standard of living
régler sa dépense contre son revenue	to cut one's coat according to one's cloth
vivre au-dessus de ses moyens	to live beyond one's means
boucler son budget ⎫ joindre les deux bouts ⎭	to make ends meet
arrondir les fins de mois	to supplement one's income
se serrer la ceinture	to tighten one's belt
s'endetter	to get into debt
la misère	poverty
vivre chichement	to live frugally
acheter d'occasion	to buy secondhand
le seuil de pauvreté	the bread-line
être nécessiteux(-euse)	to be hard up
être à court d'argent	to be short of money
manger de la vache enragée	to be going through hard times
tirer le diable par la queue	to live from hand to mouth
se priver de... ⎫ se passer de... ⎭	to do without
vivre aux crochets de ses parents	to live off one's parents

IV

le compte-chèques	bank cheque account
verser	to pay in
le mode de paiement	method of payment
le virement bancaire	credit transfer
payer par chèque	to pay by cheque
payer en espèces/liquide ⎫ au comptant ⎭	to pay in cash
le chèque barré	crossed cheque
libeller un chèque au nom de...	to make out a cheque to...
le montant	sum, total
solder un compte	to wind up an account
être titulaire d'une carte de crédit	to hold a credit card
le créancier	creditor

amortir une dette	to pay off a debt (*gradually*)
régler une facture	to settle a bill
le prêt bancaire	bank loan
solliciter un prêt à long terme	to request a long-term loan
à court terme	short-term loan
à moyen terme	medium-term loan
un emprunt/prêt logement immobilier hypothécaire }	mortgage
la caisse d'épargne	savings bank
percevoir des intérêts	to get interest
se constituer un modeste pécule	to build up a small nest-egg
le rentier	person with private income
cotiser à une mutuelle	to subscribe to a personal insurance scheme

V

L'Etat Providence	Welfare State
le contribuable	tax payer
les impôts locaux	local taxes
les redevances (*f*)	taxes, deductions from salary
le prélèvement obligatoire	compulsory deduction
les cotisations sociales la CSG (contribution sociale généralisée) }	payments towards health service, etc.
les cotisations vieillesse	pension contributions
subvenir aux besoins de...	to meet the needs of...
répartir équitablement	to share out fairly
les allocations familiales	family allowances
le RMI (revenu minimum d'insertion)	basic social security allowance
la prestation de vieillesse	old-age pension

La Vie politique

A | **Les Collectivités locales** | **Local Government**

le Préfet — Chief Executive (of *Département*)
les élections municipales — local government elections
le conseil municipal — local council
le conseiller — councillor
le maire — mayor
le maire adjoint — deputy mayor
régler un problème à l'échelle locale — to settle a problem at local level

B | **La Campagne électorale** | **The Election Campaign**

les candidats en lice — the candidates standing
se présenter aux élections — to stand for election
briguer un deuxième mandat — to seek a second term
mobiliser l'électorat — to rally the support of the electorate

contrecarrer une mauvaise image — to try to correct a negative image
la tournée électorale — election tour
distribuer des tracts — to distribute pamphlets
l'enjeu électoral — election issue
figurer à l'agenda (*m*) — to appear on the agenda
promettre monts et merveilles — to promise the earth
se draper dans des proclamations vertueuses — to make high-sounding statements
ménager la chèvre et le chou — to keep both sides happy
de la cuisine électorale — electoral dishonesty
la campagne bat son plein — the campaign is in full swing
le groupe de pression — pressure group
le sondage d'opinion — opinion poll
pronostiquer les résultats (*m*) — to forecast the results
disposer d'un atout déterminant — to have a winning asset
progresser dans les sondages — to go up in the ratings
jouir d'un soutien important — to enjoy substantial support
gagner du terrain — to gain ground

la poussée/montée d'un parti	the increase in support for a party
raffermir sa popularité	to bolster one's popularity
la cote d'un(e) candidat(e) monte	a candidate's popularity increases
baisse	declines

Les Elections   **The Election**

les élections présidentielles	election of the president
législatives	government
les élections anticipées	election before the end of a mandate
l'élection partielle	by-election
le référendum	referendum
le suffrage universel	right of every citizen to vote (*universal suffrage*)
le droit de vote	right to vote
le mode de scrutin	voting system
le scrutin majoritaire	'first past the post' ballot
la représentation proportionnelle	proportional representation
la circonscription	constituency
le premier tour de scrutin	first round of voting
se rendre aux urnes	to go to the polling station
le bulletin de vote	ballot paper
l'isoloir (*m*)	voting booth
voter	to cast a vote
donner sa voix à un(e) candidat(e)	to vote for a candidate
s'abstenir	to abstain
le taux de participation	turnout
le scrutin serré	close result
le report des voix	transfer of votes
subir de lourdes pertes	to suffer heavy losses
décrocher 60% des suffrages	to get 60% of the votes
obtenir 60% des voix	
une majorité se dégage en faveur de...	a majority in favour of... emerges
approuver à une large majorité	to approve by a sizeable majority
déborder au-delà de son électorat traditionnel	to win votes from those who are not traditional supporters
remporter une victoire écrasante	to win a landslide victory
le bouleversement de la carte électorale	complete change in the electoral map

avoir une majorité écrasante	to have a huge majority
faible	small majority
élu(e) sans majorité absolue	elected with no overall majority
partager le pouvoir	to share power
la coalition	coalition government

 ## Le Gouvernement

The Government

le parti politique	political party
la gauche	the left
la droite	the right
conservateur(-trice)	conservative
travailliste	Labour (*G.B.*)
socialiste	socialist
communiste	communist
anarchiste	anarchist
extrémiste	extremist
centriste	in the centre
réactionnaire	arch-conservative, reactionary
partisan du statu quo	in favour of the present system
détenir le pouvoir	to hold power
le chef de l'Etat	the Head of State
le septennat	seven-year presidential term
le dirigeant d'un parti	party leader
le premier ministre	Prime Minister
le mandat	mandate (*to govern*)
la législature	term of office
le secrétaire d'Etat	Secretary of State
le ministre	minister
le ministère	ministry
le porte-parole	spokesperson
le remaniement ministériel	cabinet reshuffle
le Sénat	Senate, Upper House
l'Assemblée nationale	National Assembly, 'Commons'
la Chambre des députés	'House of Commons'
le député	member of parliament
le siège parlementaire	seat in parliament
la séance (mouvementée)	(lively) sitting
le débat	debate
à l'ordre du jour	on the agenda
adopter une prise de position	to adopt a position
une politique axée sur...	a policy centred on...

la politique de rechange	alternative policy
promouvoir un nombre d'initiatives	to promote a number of initiatives
donner quelques précisions	to give details
le rapport d'étape	progress report
se garder de prendre des mesures impopulaires	to avoid taking unpopular measures
une politique qui répond à la volonté du pays	policy which reflects what the country wants
marginaliser ses adversaires	to put one's opponents in a weak position
préconiser	to be in favour of...
adopter un ensemble de mesures	to adopt a series of measures
lancer une action préventive contre...	to launch preventive action against...
imposer sa propre donne	to impose one's own ideas
ne pas transiger	to be uncompromising
prendre des mesures radicales	to take radical measures
mettre en œuvre un ambitieux programme	to implement an ambitious programme
la mise en œuvre d'un grand dessein	implementation of a great plan
un projet de longue haleine	a long-term (and complex) project
une réforme de grande envergure	far-reaching reform
de grande ampleur	substantial reform
en profondeur	radical reform
qui vise à (+ *infin*)	reform which aims to
changer de fond en comble	to make fundamental changes
faire table rase	to sweep away the old order
une aventure à haut risque	high-risk enterprise
des mesures à long terme	long-term measures
à court terme	short-term measures
les dispositions (f) d'un projet de loi	provisions of a bill
rédiger un projet de loi	to draw up a bill
présenter un projet de loi	to introduce a bill
rejeter un projet de loi	to throw out a bill
adopter un projet de loi	to pass a bill
abroger une loi	to repeal an act
marcher sur la corde raide	to walk the tight-rope
la politique de la corde raide	political brinkmanship
soulever de vives protestations	to provoke vigorous protests

la désillusion s'installe	disillusionment sets in
être en mal de popularité	to be short on popularity
démissionner	to resign
renoncer au pouvoir	to give up power

E

Les Querelles partisanes

Party-political Disputes

le fossé entre ... se creuse	the rift between ... is deepening
le clivage politique	political divide
manquer aux engagements pris	to fail to keep to commitments
les tergiversations (f) du gouvernement	the government's dithering
les discussions (f) piétinent	discussions are getting nowhere
traînent en longueur	dragging on
le gouvernement traîne ses pieds	the government is dragging its feet
les retards (m) dans l'exécution des décisions	delays in carrying out decisions
c'est la politique de l'autruche	the government is burying its head in the sand
s'endormir sur ses lauriers	to rest on one's laurels
être en perte de vitesse	to be losing momentum
être en retard sur les idées de son temps	to be out of touch with modern ideas
tituber sans boussole	to be lurching about, directionless
gouverner sans cap	to govern with no sense of purpose
une politique qui se distingue par son irréalisme	a conspicuously unrealistic policy
une stratégie qui s'avère inefficace	a strategy which is proving to be ineffective
une mauvaise appréciation du rhythme de changement souhaitable	a failure to understand the pace of change needed
une politique à courte vue	a short-sighted policy
être étroit(e) d'esprit	to be narrow-minded
il manque la volonté politique pour affronter le problème	the political will to tackle the problem is lacking
les prédictions se sont trouvées démenties	the predictions have turned out to be wrong
brouiller les cartes pour gagner du temps	to cloud the issue in order to play for time

donner lieu à de multiples contestations (f)	to give rise to many objections
la situation devient préoccupante	the situation is giving cause for concern
un dialogue de sourds	a discussion in which neither side listens to the other
élever de molles protestations	to make a weak protest
mettre l'opinion publique en éveil	to arouse public opinion
de vieux contentieux renaissent	old matters of disagreement resurface
soulever un débat	to provoke discussion
déposer un amendement	to put down an amendment
proposer des modifications	to propose changes
la législation en vigueur	the law as it stands
s'engager dans une polémique	to become involved in a controversy
monter une cabale	to form a conspiracy
amorcer une offensive	to initiate an offensive
le climat conflictuel	confrontational atmosphere
mettre le feu aux poudres	to act in an inflammatory manner
un conflit éclate	a conflict breaks out
des querelles (f) surgissent	quarrels break out
s'insurger contre...	to revolt against...
se cabrer regimber	to rebel
prononcer un violent réquisitoire	to condemn in the strongest terms
l'opposition (f) se durcit	opposition is hardening
un raidissement très net	a very distinct hardening of attitudes
ne pas en démordre	to refuse to back down
la manifestation	demonstration
l'insatisfaction (f) demeure	dissatisfaction remains
revenir à la charge	to go back on the attack
fustiger un adversaire	to denounce an opponent
passer dans le clan de l'opposition	to go over to the opposition
le noyau d'opposants	hard core of opponents
rompre avec des conceptions classiques	to break with traditional ideas
le changement de cap	change in direction (*policy*)
le revirement le retournement le volte-face	about-turn in policy
un tournant de grande ampleur	very significant turning-point

le fossé se réduit	the rift is narrowing
la crise s'est dénouée	the crisis has been resolved

La Politique extérieure — **Foreign Policy**

sur le plan international	internationally speaking
prendre une dimension internationale	to take on an international dimension
les relations internationales	international relations
un foyer de tension est en train de naître	an area of tension is developing
le différend opposant les deux pays	disagreement bringing the two countries into conflict
les relations se détériorent	relations are getting worse
l'escalade verbale	increasingly heated exchanges
rompre les relations diplomatiques	to break off diplomatic relations
la rupture des...	the breaking off of...
décider des sanctions économiques à l'encontre d'un pays	to decide on economic sanctions against a country
être soumis(e) à un embargo	to be subjected to an embargo
réclamer une levée de l'embargo	to demand that the embargo be lifted
les super-puissances (f)	super-powers
une conférence au sommet	a summit conference
les discussions (f) en coulisses	discussions behind the scenes
négocier	to negotiate
des négociations serrées	tightly argued negotiations
un préalable jugé inacceptable	preconditions regarded as unacceptable
l'intransigeance (f)	inflexibility
user d'un droit de veto	to use a right of veto
l'échec (m) des pourparlers	breakdown of talks
les moyens (m) de défense	defences
faire son service militaire	to do compulsory military service
le conscrit	conscript
un objecteur de conscience	conscientious objector
la force de frappe	strike force
la guerre classique	conventional warfare
les essais (m) nucléaires	nuclear weapons testing
une ogive	warhead
la course aux armements	arms race
la prolifération des armes	arms proliferation

un conflit s'amorce	there are signs of conflict
le pays s'enlise dans la guerre	the country is being sucked into war
relancer les offensives	to launch a further offensive
une épreuve de forces	trial of strength
le bombardement	bombing
le blindé	armoured vehicle
la trève	truce, cease-fire
renouer le dialogue	to reopen discussions
jouer le rôle d'un conciliateur	to act as conciliator
la zone de consensus	area of consensus
trouver un terrain d'entente	to establish an area of agreement
conclure un accord formel	to reach a formal agreement
la paix s'est maintenue	peace has been maintained
la détente	decrease in level of tension
un accord bilatéral	agreement between two sides
un accord de contrôle des armements	arms control agreement
un grand tournant historique	epoch-making event

Le Terrorisme

Terrorism

G

l'attentat (*m*)	terrorist attack
le jusqu'au-boutisme	fanatical determination
viser une cible	to aim at a target
le ver est dans la pomme	the rot has set in
frapper des responsables politiques	to strike at politicians
frapper à l'aveugle	to strike indiscriminately
à titre de représailles	by way of retaliation
l'alerte (*f*) à la bombe	bomb alert
détourner un avion	to hijack a plane
le pirate de l'air	hijacker
l'otage	hostage
la voiture piégée	booby-trapped car
l'explosion a ébranlé les locaux	the explosion shook the building(s)
faire trois blessés légers	to injure three people slightly
provoquer d'importants dégâts matériels	to cause considerable damage
déstabiliser le régime en place	to destabilise the existing government
ébranler la démocratie	to weaken democracy
manipuler l'opinion publique	to manipulate public opinion

revendiquer un attentat	to claim responsibility for an attack
susciter un dégoût général	to provoke widespread disgust
dénoncer la violence aveugle	to denounce indiscriminate violence
assainir la situation	to clean up the situation
extirper le mal	to root out the evil
céder aux revendications	to give in to demands
tenir bon face au terrorisme	to stand firm against terrorism

L'Immigration et le racisme

L'Immigration et l'émigration	**Immigration and emigration**
le/la ressortissant(e)	expatriate
le pays d'origine	country of origin
d'adoption	adoption
la terre d'accueil	host country
fuir la misère	to flee poverty
le chômage	unemployment
la tyrannie	tyranny
le peuple croupissant sous l'oppression	a nation cowering under oppression
passer la frontière	to get across the border
le flux migratoire	flood of immigrants/emigrants
être admis(e) à titre de...	to be admitted as...
...travailleur(-euse) immigré(e)	...immigrant worker
...réfugié(e) politique	...political refugee
le statut de réfugié	refugee status
le droit d'asile	right of asylum
le regroupement familial	family joining an immigrant
l'immigration clandestine	illegal immigration
emprunter des filières clandestines	to use an illegal network
être en situation irrégulière	to be without the right documents
être muni(e) d'une pièce d'identité	to have identification papers
d'une carte de séjour	a residence permit
d'un visa de tourisme	a tourist visa
être démuni(e) d'une carte de travail	to have no work permit
le mariage blanc	paper marriage (*in name only*)

Les Problèmes de l'insertion

Problems of Integration

absorber sans dommage	to absorb without trouble
la France connaît un nombre record d'immigrés	France has a record number of immigrants

la répartition inégale des immigrés sur le territoire	unequal distribution of immigrants within the country
atteindre des proportions critiques	to reach crisis proportions
dépasser le seuil d'intolérance	to go beyond acceptable limits
à forte densité immigrée	with a high immigrant population
le/la Maghrébin(e)	North African
le/la Beur	second generation North African
le filtrage rigoureux	strict controls on entry
limiter l'accès au territoire	to impose immigration controls
maîtriser les flux d'entrée	to control the flow of immigrants
endiguer le flot	to stem the flood
calculer des quotas	to set numerical limits
pourchasser les clandestins	to oust illegal immigrants
la reconduite à la frontière	expulsion
le repatriement	repatriation

II

être déraciné(e)	to be rootless
inadapté(e)	ill-adapted
marginalisé(e)	excluded, rejected
analphabète	illiterate
avoir le statut d'étranger	to be treated as a foreigner
être entassés dans des foyers	to be crammed into hostels
le centre provisoire d'hébergement	temporary hostel
attribuer les logements sociaux	to allocate council flats
le ghetto	ghetto
le logement insalubre	squalid accommodation
bénéficier des droits sociaux	to receive social security
le travail au noir	illegal employment
le travail des sans-papiers se banalise	employment of immigrants without papers is becoming commonplace
les trafics de main d'œuvre	black market in labour
une main-d'œuvre	workforce
à bas salaire	poorly paid
à bon marché	cheap
peu exigeant(e)	undemanding
accepter sans rechigner	to accept without protest
des horaires élastiques	flexible working hours
la volonté de s'intégrer	the desire to become integrated
régulariser sa situation	to legalise one's position
respecter les lois	to obey the laws

respecter les mœurs locales	to respect local customs
le mariage mixte	mixed marriage
l'union interraciale	racial intermarriage

Le Racisme

Racism

le brassage des cultures	mixing of cultures
les cultures s'entrechoquent	there is a clash of cultures
un fossé se forme	a gap develops
les groupes ethniques minoritaires	ethnic minorities
la religion islamique	Islam
l'imam	*imam*, Muslim priest
la mosquée	mosque
les règles alimentaires du Coran	Muslim dietary laws
les règles vestimentaires	laws governing clothing
des indésirables	'undesirables'
des fainéants	layabouts
les Français de souche	French people of French origin
les Français naturalisés	naturalised French people
la méfiance	mistrust
la xénophobie	hatred of foreigners, xenophobia
l'antisémitisme (*m*)	antisemitism
le comportement raciste	racist behaviour
entretenir des sentiments racistes	to harbour racist feelings
la propagande rebondit	propaganda resurfaces
la montée de l'extrême droite	the resurgence of the extreme right wing
se déchaîner	to be unleashed
la discrimination raciale	racial discrimination
le harcèlement policier	police harassment
alimenter la rumeur	to nourish discontent
un climat de peur	a climate of fear
jouer des peurs	to play on fears
préjugés	prejudices
rancœurs	resentment
attiser les passions	to fuel strong feelings
tensions	tensions
une attaque de caractère raciste	racist attack
une intensification de la violence raciste	escalation of racist violence

D **L'Intégration**

l'intégration des divers groupes
   ethniques du pays
le patrimoine culturel
conserver son identité culturelle
la liberté de pratiquer sa propre
   religion
s'ouvrir à la diversité culturelle de
   la société
l'élimination de toutes formes de
   racisme

Integration

integration of a country's ethnic
   groups
cultural heritage
to maintain one's cultural identity
freedom to practise one's own
   religion
to be open to cultural diversity

elimination of all forms of racism

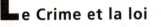

Le Crime et la loi

Le Droit civil	**Civil Law**
Le Palais de Justice	Law Courts
les lois en vigueur	existing laws
l'arrêté municipal	bye-law
il est interdit de...	it is forbidden to...
défense de fumer	no smoking
sous peine d'amende	failure to comply will result in a fine
dresser une contravention à qqn. dresser un procès verbal à l'encontre de qqn.	to 'book' s.o.
retirer un permis	to confiscate a licence
le retrait	confiscation
être poursuivi(e)	to be taken to court
sanctionner une contravention	to punish an infringement of the law
être passible d'une amende	to be liable for a fine
certaines infractions au code de la route sont lourdement pénalisées	certain infringements of the Highway Code are severely punished
être en situation irrégulière	to be breaking the law
déposer une plainte contre... porter plainte contre...	to lodge a complaint against...
intenter un procès à...	to institute proceedings against...
engager des poursuites judiciaires	to take legal proceedings
l'avocat de la partie civile	prosecuting counsel
de la défense	defending counsel
être dans son droit	to be within one's rights
être dans son tort	to be in the wrong

Le Droit pénal	**Criminal Law**
le casier judiciaire (vierge)	(clean) police record
être sur la mauvaise pente	to be going downhill, off the rails
basculer dans la délinquance	to slip into delinquency

avoir des démêlés avec la justice	to be in trouble with the law
enfreindre une loi	to break a law
une infraction à la loi	law-breaking

commettre un crime
   un délit
   un forfait
	to commit a crime

récidiver	to commit the same crime again
le truand le malfaiteur le malfrat l'escroc	crook
le filou	swindler
le loubard	yob
le hors-la-loi	outlaw
le complice	accomplice
les petits larcins	petty crimes
le vol	theft
le vol à l'étalage	shoplifting
le vol avec effraction	breaking-in and burglary
faire une rafle	to raid
le vol à la tire	pick-pocketing
le vol à la roulotte	theft from parked vehicles
dévaliser qqn.	to rob s.o.
agresser	to mug
une agression à main armée	armed mugging
le cambriolage	burglary
receler un objet volé	to receive stolen goods
dégrader un bâtiment	to damage a property
s'en prendre aux personnes	to attack people
la tentative de meurtre	attempted murder
l'homicide (m) involontaire	manslaughter
le crime passionnel	crime of passion
agir sous l'emprise de l'alcool	to act under the influence of alcohol
en légitime défense	in self-defence
la corruption	corruption, bribery
le chantage	blackmail
faire chanter	to blackmail
la fraude fiscale	tax evasion
passer en fraude	to smuggle
leurrer	to deceive
escroquer	to swindle
émettre un chèque sans provisions	to write a dud cheque

détourner des fonds	to embezzle funds
le blanchiment d'argent	money laundering
le rapt	abduction, kidnapping
l'enlèvement (m)	
le ravisseur	kidnapper
exiger une rançon	to demand a ransom
le viol	rape
violer	to rape

L'Ordre public — Law and Order

C

la délinquance juvénile	juvenile delinquency
un acte gratuit de vandalisme	pointless act of vandalism
le désœuvrement	having nothing to do
la bande de voyous	gang of yobs
la manifestation	demonstration
le taux de criminalité	crime rate
l'émeute (f)	riot
la bagarre	brawl, fight
la recrudescence de la criminalité	increase in crime rate
l'escalade (f) de la violence	increase in violence
l'insécurité ne cesse d'augmenter	there is an increasing sense of insecurity
le maintien de l'ordre public	maintenance of law and order
le durcissement des peines	making sentences harsher
prendre des mesures de répression draconiennes	to take repressive action severe action
la grande lance à eau	water cannon
les grenades (f) lacrymogènes	tear-gas
tirer sur...	to shoot at...
la balle	bullet

La Police — The Police

D

la police municipale	urban police force
la gendarmerie nationale	paramilitary police
les CRS (compagnies républicaines de sécurité)	riot police
la police de l'air et des frontières	frontier police
la police judiciaire	detective force
les forces (f) de l'ordre	forces of law and order
le gardien de la paix	(ordinary) policeman

monter la garde	to mount guard
le motard	motorcycle policeman
le détective en civil	plain clothes detective
la voiture de police banalisée	unmarked police car
le fourgon cellulaire	armoured police van
patrouiller	to patrol
le contrôle de routine	routine check
la bavure policière	police bungle

E

L'Enquête policière	**Police Investigation**
mener une enquête	to lead an investigation
l'indicateur	informant
graisser la patte à qqn. (*argot*)	to bribe s.o. (*slang*)
le pot-de-vin	bribe, back-hander
dénoncer qqn.	to inform on s.o.
délivrer un mandat de perquisition	to issue a search warrant
perquisitionner	to conduct a search
passer au peigne fin	to go through with a fine tooth-comb
les empreintes digitales (*f*)	fingerprints
l'indice (*m*)	clue
le portrait-robot	photofit, identikit picture
élucider une affaire	to solve a case
un crime non élucidé	an unsolved crime
le taux de non-élucidation des crimes	level of unsolved crime
passer entre les mailles du filet	to slip through the net
être sur la piste de qqn.	to be on s.o.'s tracks
être aux trousses de qqn.	to be hard on s.o.'s heels
dépister les coupables	to track down those responsible
faire une rafle	to raid
mettre la main sur le coupable	to catch the guilty party
lancer un mandat d'arrêt	to issue a warrant for arrest

prendre en flagrant délit
      sur le fait
      la main dans le sac }
	to catch redhanded

passer les menottes à qqn.	to handcuff s.o.
mettre en état d'arrestation	to place under arrest
interpeller placer en garde à vue }	to take in for questioning
l'arrestation préventive	taking into custody
la détention provisoire	remand

Le Procès

The Trial

le tribunal d'instance	magistrate's court
le tribunal correctionnel	criminal court
la cour d'assises	high court
le parquet	public prosecutor's office
le juge	judge
le jury	jury
le président du jury	jury foreman
le juré	juror
le banc des jurés	jury box
des prévenus	dock
le juge d'instruction	examining magistrate
l'avocat	barrister
le procureur	public prosecutor
le défenseur	counsel for the defendant
le juge prononce le huis-clos	the judge orders a private hearing
passer devant les assises } comparaître devant le tribunal }	to appear in court
être inculpé(e) de...	to be charged with...
l'inculpation (f)	charge
plaider (non) coupable	to plead (not) guilty
le plaidoyer } la plaidoirie }	speech for the defence
le réquisitoire	indictment
faire subir un interrogatoire à qqn.	to interrogate, cross-examine s.o.
passer aux aveux	to make a confession
appeler un témoin	to call a witness
le banc des témoins	witness box
le témoin oculaire	eye-witness
à charge	prosecution witness
à décharge	defence witness
le témoignage	evidence spoken in court
attester	to give evidence
la déposition	statement
déposer en faveur de l'accusé(e)	to give evidence for the defence
la pièce à conviction	object held by prosecution as evidence
le parjure	perjury
prouver	to prove
la preuve	proof
le mobile	motive

prononcer le verdict	to give the verdict
donner tort à qqn.	to find against s.o.
se prononcer pour la culpabilité	to find guilty
avec circonstances atténuantes	with attenuating circumstances
acquitter	to acquit
prendre une ordonnance de non-lieu	to acquit because of insufficient evidence
infliger une peine	to sentence
la rigueur	severity
l'indulgence (f)	leniency
la peine de mort	death penalty
le régime carcéral	prison system
le parc pénitentiaire	number of prison places available
la surpopulation carcérale	prison overcrowding
le taux d'encadrement reste faible	the ratio of warders to prisoners is still too low
écrouer	to imprison
le/la détenu(e)	prisoner
purger une peine de prison à vie	to serve a life sentence
la réclusion perpétuelle	life imprisonment
les travaux forcés	hard labour
être condamné(e) à six mois de prison	to be given six months
six mois de prison avec sursis	six months' suspended sentence
une erreur judiciaire	miscarriage of justice
une loi controversée	a controversial law
faire appel	to appeal
la cour d'appel	court of appeal
la cour de cassation	high court of appeal
déposer un pourvoi en cassation	to lodge a final appeal
grâcier un(e) condamné(e)	to reprieve a condemned prisoner
non coupable	not guilty
le non-lieu	case withdrawn
la mise en liberté sous caution	release on bail
libérer ⎫ relâcher ⎭	to set free

Les Rapports humains

Le Taux de natalité

The Birthrate

la démographie	demography, population studies
la poussée démographique	increase in population
le taux de natalité élevé	high birth-rate
le pays à démographie galopante	country with a rapidly rising birthrate
l'exubérance de la natalité	lively increase in the birth-rate
la famille nombreuse	large family
le contrôle des naissances	birth control
la diminution de la mortalité infantile	reduction in infant mortality rate
le taux de fécondité	fertility rate
le drame de la dénatalité	problem of decreasing birth-rate

La Famille

The Family

le foyer	home
le milieu	surroundings
l'ambiance (*f*)	atmosphere
la situation familiale	family circumstances
l'état civil	marital status
le/la célibataire	unmarried person
se fiancer	to get engaged
les fiançailles (*f*)	engagement
le mariage	wedding
le mariage civil	civil marriage
épouser qqn. } se marier avec qqn. }	to marry s.o.
convoler en justes noces	to tie the knot
la jeune mariée	bride
le témoin du marié	best man
la demoiselle d'honneur	bridesmaid
le ménage	couple, household

51

le mari l'époux	husband
la femme l'épouse	wife
fonder un foyer	to set up house together
l'union (f) libre	living together (without getting married)
cohabiter vivre en couple	to live together
le planning familial	family planning
être enceinte	to be pregnant
accoucher	to give birth
l'avortement (m)	abortion
naître hors mariage	to be born of unmarried parents
l'éclatement (m) de la famille	collapse of family structure
la trajectoire familiale compliquée	difficult family history
le divorce	divorce
l'abandon du conjoint	desertion
le père/la mère célibataire	single parent
le foyer monoparental	one-parent family
le veuf	widower
la veuve	widow
les obsèques (f)	funeral
l'enterrement (m)	burial
être en deuil	to be in mourning
l'orphelin(e) (m,f)	orphan
les parents adoptifs	foster parents
être en tutelle	to have a guardian

II

les grandes personnes	grown-ups
les proches	close relatives
avoir de la famille à Lyon	to have relatives in Lyon
les liens familiaux/de parenté	family ties
les jumeaux	twins
aîné(e)	older
cadet(te)	younger
le demi-frère	half-brother
les petits-enfants	grandchildren
le beau-père	father-in-law
la belle-mère	mother-in-law
le gendre	son-in-law

la belle-fille	daughter-in-law
le parrain	godfather
la marraine	godmother
le baptême	christening
la première communion	confirmation and first communion

L'Age ingrat

The Awkward Age

des parents indulgents	lenient parents
complaisants	indulgent parents
traiter sur un pied d'égalité	to treat on equal terms
un(e) enfant gâté(e) (*m, f*)	spoiled child
le manque de repères	lack of guidelines
supporter difficilement	to find it hard to cope with
le carcan du règlement	straitjacket of rules
mettre en question	to call into question
la contestation	challenge
l'affrontement (*m*) des points de vue	confrontation of points of view
mettre les parents au banc d'essai	to put parents on trial
rejeter l'autorité parentale	to reject parental authority
enfreindre les interdits	to do what is forbidden
trouver une façon de s'éclater	to find a way of letting one's hair down
faire sauter les contrôles	to break all the rules
n'en faire qu'à sa tête	to do as one likes
prendre une attitude provocatrice	to behave provocatively
mépriser les institutions	to scorn institutions
refuser de s'embourgeoiser	to refuse to become middle-class
reprocher aux adultes d'être...	to reproach adults for being...
...conformistes	... conformist
...routiniers	... in a rut
...étroits d'esprit	... narrow-minded
donner du fil à retordre à ses parents	to make trouble for one's parents
en avoir ras-le-bol	to be fed up
être mal dans sa peau	to feel at odds with oneself
être bien dans sa peau	to be content, well-adjusted
être atterré(e)	to feel very low
l'amertume (*f*)	bitterness
un état de déprime d'abattement	state of depression
le désarroi	feeling of confusion

être au fond de l'abîme	to be at rock bottom
faire une fugue	to run away from home
revenir au bercail	to return to the fold
prendre conscience de la limite entre le permis et l'interdit	to become aware of the borderline between what is and is not allowed

D **La Vie sociale** **Social Life**

I

(se) présenter	to introduce (o.s.)
faire la connaissance de qqn.	to meet s.o. for the first time
la prise de contact	first meeting
donner ses coordonnés	to give one's name, address, phone number
prendre/se donner rendez-vous	to make a date
les relations (f) (mondaines)	(social) contacts
avoir affaire à...	to have dealings with...
s'entretenir avec...	to have a conversation with...
l'entretien (m)	conversation
fréquenter	to have regular contact with...

II

les mœurs (f)	social customs
le savoir-faire social	knowing how to behave
observer la bienséance	to observe the norms of behaviour
les convenances (f)	rules of polite society
b.c.b.g. (bon chic bon genre)	Sloaney
être de rigueur	to be the 'done thing'
la courtoisie	courtesy
la politesse	politeness
le manque de courtoisie l'incivilité (f) l'impolitesse (f)	discourtesy
accueillant(e)	welcoming
sophistiqué(e)	sophisticated
cultivé(e)	cultivated
candide	naive
timide	shy
sauvage	anti-social
fruste	uncultivated

rustre	boorish
grossier(-ière)	vulgar
être mal embouché(e)	to use bad language
ignoble	base
la franchise	frankness, honesty
l'hypocrisie (f)	hypocrisy
sincère	sincere
factice	artificial
se moquer de qqn.	to make fun of s.o.
rire au nez de qqn.	to laugh in s.o.'s face
parler dans le dos de qqn.	to talk behind s.o.'s back
agir de bonne foi	to act in good faith
faire plaisir à...	to please
embêter	to annoy
flatter	to flatter
féliciter	to congratulate
injurier	to insult
entourer qqn. de soins	to make a fuss of s.o.
prodiguer des soins à qqn.	
ménager qqn.	to go out of one's way to please s.o.
être plein(e) de prévoyance pour qqn.	
laisser tomber/lâcher qqn.	to drop s.o.

III

les potins (m)	local gossip
le préjugé	prejudice
porter un jugement moral	to make a moral judgement
on crie au scandale	people say it's a scandal
se scandaliser	to feel shocked
s'indigner	to be indignant
inadmissible	unacceptable
honteux(-euse)	shameful
démentiel(le)	crazy
aberrant(e)	ludicrous
monstrueux(-euse)	monstrous
inconcevable	unbelievable
incroyable	
inimaginable	
affreux(-euse)	terrible
effroyable	frightful
épouvantable	horrifying

atroce	appalling
abominable	abominable
prendre qqn. pour un abruti	to regard someone as a half-wit
imbécile	an imbecile
crétin	a cretin
débile	gormless
mental	
ne pas tarir d'éloges au sujet de qqn.	to praise s.o. to the skies

E

La Vie affective	Emotional Life
s'entendre avec...	to get on well with...
une âme sœur	soul-mate
se lier d'amitié avec...	
nouer une amitié avec...	to make friends with...
prendre qqn. en amitié	
affectionner	to feel affection for...
s'éprendre de...	
s'amouracher de...	to fall for...
s'enticher de...	
s'engouer de...	to become infatuated with...
le coup de foudre	love at first sight
parler à cœur ouvert	to reveal one's feelings
l'amourette (f)	flirtation
être (follement) amoureux(-euse) de...	to be (madly) in love with
céder/se plier à la volonté de...	to bow to s.o.'s will
être complaisant(e)	to be indulgent
avoir qqn. bien en main/dans sa manche	to have s.o. round one's little finger
se laisser mener par le bout du nez	to be led by the nose
les relations connaissent des hauts et des bas	relationships have ups and downs
la désunion	marital disharmony
l'incompatibilité (f)	incompatibility
le refroidissement	cooling of relations
la tiédeur	lukewarm attitude
la froideur	cold attitude
maltraiter	to ill-treat
tromper	to deceive, be unfaithful to...
délaisser	to abandon

rompre avec...	to break off a relationship with...
se séparer de...	to separate from
le/la confident(e)	person you confide in
s'en remettre à...	to put your trust in...
apporter du réconfort	to give comfort
soutien moral	moral support

Le Caractère
Character

F

I

avoir bon caractère	to have a good character
faire preuve de... ⎱	to show (*a quality, attitude*)
démontrer ⎰	
la gentillesse	kindness
l'altruisme (*m*)	altruism, concern for others
la bienveillance	benevolence
fidèle	faithful
ferme	resolute
ouvert(e)	open
modeste	modest
garder son sang-froid	to keep calm
une patience sans bornes	limitless patience

II

avoir mauvais caractère	to have a bad character
agir par intérêt personnel	to act out of self-interest
l'égoïsme (*m*)	selfishness
malicieux(-ieuse)	malicious
malveillant(e)	malevolent
volage	fickle
lâche	cowardly
orgueilleux(-euse)	arrogant
exigeant(e)	demanding
grincheux(-euse)	irritable
acariâtre	cantankerous
replié(e) sur soi-même	withdrawn
être d'un commerce difficile	to be hard to get on with

Les Disputes
Arguments

G

I

être fâché(e) avec...	to be on bad terms with...
froisser	to upset

désobliger	to offend
contrarier	to thwart
embêter	to annoy
brimer	to get at
agacer	to irritate
énerver qqn.	to get on s.o.'s nerves
harceler	to pester
provoquer	to provoke
pousser à bout	to push to the limit
humilier	to humiliate
prendre un malin plaisir à...	to take a malicious delight in...
faire de la peine à qqn.	to hurt s.o.'s feelings
la mainmise sur autrui	control over others

II

une légère mésentente	slight misunderstanding
le malentendu ⎫ la méprise ⎭	misunderstanding
le conflit d'intérêts	conflict of interests
chipoter ⎫ ergoter ⎭	to quibble
faire la sourde oreille	to turn a deaf ear
le mouvement d'humeur	show of irritation
tourner autour du pot	to beat about the bush
trancher ⎫ aller droit au but ⎭	to get straight to the point
l'accès (m) de colère	fit of anger
s'en prendre à qqn.	to have a go at s.o.
chercher querelle à qqn.	to pick a fight with s.o.
attiser une querelle	to stir up a quarrel
se quereller ⎫ se disputer ⎪ se brouiller ⎬ se chamailler ⎭	to have a dispute
ne pas mâcher ses mots ⎫ parler sans ménagement ⎭	not to mince one's words
ne pas transiger	to be uncompromising
injurier	to insult
un accrochage	confrontation
piquer au vif	to cut to the quick
en venir aux mains	to come to blows

III

éprouver ressentir	to feel (*an emotion*)
le mépris le dédain	scorn
le ressentiment la rancœur la rancune	resentment
garder rancune à qqn. en vouloir à qqn.	to hold a grudge against s.o.
l'antipathie (*f*)	strong dislike
l'aversion (*f*)	aversion
la répulsion	repulsion
l'hostilité (*f*)	hostility
la haine	hatred
l'inimitié (*f*)	loathing
insurmontable	uncontrollable
le règlement de comptes	settling of scores

IV

avoir mauvaise conscience	to be conscience-stricken
amadouer qqn.	to soften s.o. up
se placer dans l'optique de qqn.	to put o.s. in s.o. else's place
le terrain d'entente	area of agreement
concéder	to concede
céder	to give in
accéder à une demande	to comply with a demand, request
s'accommoder de tout	to agree to everything
s'accorder pour accepter de	(+*infin*) to agree to
l'accord (*m*)	agreement
l'écart se comble	the gap is narrowing
régler un différend	to settle a disagreement
se réconcilier avec...	to be reconciled with...
le rapprochement	reconciliation
resserrer un lien	to restore a link
renouer avec...	to reestablish relations with...
rentrer dans les bonnes grâces de...	to get back in favour with...

Le Troisième Age

Retirement

la longévité moyenne	average length of life
l'accroissement de la longévité	increase in length of life
l'allongement (*m*) de l'espérance de vie	increase in life expectancy
le taux de mortalité	death rate
partir à la retraite/prendre sa retraite	to retire
la retraite anticipée	early retirement
la préretraite	early retirement enforced by employer
la pension de retraite	retirement pension
l'allocation (*f*) veuvage	widow's pension
la vacuité de la vie	emptiness of life
la lutte contre la solitude	struggle against loneliness
la maison de retraite	old people's home
l'hospice (*m*) de vieillards	old people's hospital
la perte d'autonomie	loss of independence
la rupture avec son cadre de vie	break with one's own surroundings

L'Education

Rappel	**Reminder**

I

être scolarisé(e)	to attend school
l'école maternelle	infant school
l'école primaire	primary school
l'instituteur(-trice)	primary school teacher
aller au collège	to go to secondary school
être en sixième	to be in the first year of secondary school
la rentrée des classes	start of school year
le trimestre	term
un(e) externe	day pupil
le/la pensionnaire	boarder
le/la demi-pensionnaire	pupil who eats lunch at school
l'exercice (*m*)	exercise
le cahier	exercise book
le carnet	note book
le bulletin	report
la récréation	break time
la cour	yard, playground
le gymnase	gymnasium
le terrain de sports	sports ground

II

le cours	lesson
l'étude (*f*)	study period
la matière	subject
épeler	to spell
l'orthographe (*m*)	spelling
la lecture	reading
l'écriture (*f*)	writing
l'informatique (*f*)	computer studies
les travaux manuels	craft work
l'atelier (*m*)	workshop
l'instruction civique (*f*)	current affairs lessons

faire des progrès — to make progress
passer le brevet (BEPC) — to take GCSE
redoubler la troisième — to repeat year 10

B **L'Administration** — **Administration**

l'école laïque — non-denominational state school
l'académie (f) — area education authority
le rectorat — area education office
le recteur — Chief Education Officer
le proviseur — head/principal of a lycée
le directeur/la directrice — head teacher
le censeur ⎫
l'intendant (m) ⎬ assistant head
l'économe (m,f) — bursar
le/la surveillant(e) général(e) — teacher in charge of discipline
le/la surveillant(e)/le pion — supervisor

C **Le Lycée** — **Secondary School**

quitter le collège à la fin de la 3e — to leave school after GCSE
la fin de la scolarité obligatoire — the end of compulsory schooling
changer d'école — to change schools
passer en seconde — to go up into year 11
le conseil de classe — advisory committee of teachers
faire le bilan des notes — to weigh up the marks
le dossier scolaire — school record
l'orientation (f) pédagogique — educational guidance
émettre des vœux d'orientation — to express a preference for certain subjects
éviter les filières poubelle — to avoid combinations of subjects regarded as a dead-end

choisir une option ⎫
section ⎬ to choose a suitable group of subjects
filière qui convient ⎭
arrêter une décision d'orientation — to advise a pupil which subjects to study

être fort(e) en langues vivantes — to be good at languages
être faible en sciences — to be weak in science
être nul(le) en géographie — to be useless at geography
être doué(e) pour les maths — to have a gift for maths
être apte à poursuivre des études plus poussées — to have the ability to take on more advanced work

II

l'apprentissage (*m*)	learning process (*apprenticeship*)
se reporter au manuel	to refer to the text book
éclaircir	to explain
saisir l'idée	to grasp the idea
retenir	to memorise
être branché(e)	to know what is going on
une prise de notes efficace	efficient note-taking
combler des lacunes	to fill gaps
le brouillon	rough copy
la rédaction	essay
la citation	quotation
rédiger une dissertation	to write up a long essay
acquérir les connaissances de base	to acquire basic knowledge
les disciplines de base	basic skills
acquérir une connaissance approfondie	to acquire thorough knowledge
savoir sur le bout des doigts	to have at one's fingertips
élargir ses connaissances	to broaden one's knowledge
se tenir informé(e)	to keep o.s. informed
être en prise sur l'actualité	to keep in touch with the latest news
être à l'affût des nouveautés	to be on the watch for new information
le travail en équipe	team-work
un mélange de théorie et de pratique	a mixture of theory and practice
s'astreindre à un travail régulier	to get down to a steady rhythm of work
l'assiduité (*f*)	consistency of effort
être disposé(e) à travailler	to be prepared to work
se consacrer à son travail	to commit oneself to work
être bûcheur(-euse)/bosseur(-euse)	to be hard-working (*slang*)
travailler avec acharnement d'arrache-pied }	to work like mad
être un bourreau de travail	to be a workaholic
un climat de compétition	a competitive atmosphere
un travail de longue haleine	work requiring a long-term effort
un travail plus exigeant	more demanding work
tirer le meilleur de soi-même	to get the best out of oneself
un sujet qui vous accroche	a subject which engages your interest

mettre les bouchées doubles	to redouble one's efforts
se creuser la cervelle	to rack one's brain
intervenir en classe	to participate in class discussion
rester en tête du peloton	to stay in the lead
se distinguer de la masse	to be head and shoulders above the others
être fainéant(e)	to be idle
bâcler/saboter son travail	to dash off one's work
relever des fautes	to spot mistakes
un travail insuffisant	inadequate work
se faire coller	to be kept in detention (*slang*)
la retenue	detention
se faire traiter de cancre	to be called a dunce
se décourager	to get depressed
sécher des cours	to cut lessons

III

le contenu du programme	syllabus content
adapté(e) aux besoins actuels	adapted to current needs
le décalage entre théorie et pratique	gap between theory and practice
le bourrage de crâne	cramming
le bachotage	cramming for A Level
ingurgiter trop de connaissances disparates	to take in too many different kinds of facts
être surchargé(e)/débordé(e) de travail	to be overworked
une journée surchargée	very hectic day
un programme surchargé	overloaded syllabus
une classe surchargée	overcrowded class
le surmenage scolaire	overwork at school
être à la hauteur des attentes parentales	to live up to parental expectations
alléger	to alleviate
aménager les horaires	to adapt the timetable
réduire l'effectif des classes	to reduce class sizes
des locaux vétustes	old, worn-out buildings
bien équipés	well-equipped buildings
une nécessité de premier plan	a priority need

IV

le corps enseignant	the teaching profession

le personnel enseignant	the teaching staff
la qualité de l'enseignement	the quality of teaching
la correction des copies	marking
un professeur se fait chahuter	a teacher gets played up
respecter	earns respect
il/elle:	he/she:
fait peur pour faire travailler	frightens people to get work out of them
allie le travail et la décontraction	gets people to work in a relaxed atmosphere
fait aimer sa matière	gets people to enjoy the subject
fait détester sa matière	makes people hate the subject
donne un cours magistral	gives a lecture
encourage le dialogue	encourages discussion
est sympathique	is likeable
est antipathique	is not likeable
est ouvert(e)	is approachable
est cloîtré(e) dans son petit univers	lives in his/her own little world
connaît sa discipline	know his/her subject
transmet clairement ses connaissances	gets his/her knowledge across
une discipline de fer	strict discipline
une ambiance disciplinée	a disciplined atmosphere
une ambiance décontractée	a relaxed atmosphere
un encadrement insuffisant	inadequate supervision
la pagaille	chaos

v

le bulletin trimestriel	termly report
le relevé des notes	statement of marks
le contrôle continu	continuous assessment
l'examen blanc	mock exam
passer le bac	to take A Levels
plancher	to be examined
avoir un trou de mémoire	to have a lapse of memory
être collé(e) à l'oral	to fail the oral
l'oral (m) de rattrapage	're-take' oral
des cours de rattrapage	remedial classes
le résultat	result

65

être reçu(e)	to pass
avoir son bac	to pass one's A Levels
rater son bac	to fail one's A Levels
échouer	to fail
l'échec (*m*)	failure (*abstract*)
le/la raté(e)	failure (*person*)
le jury	team of examiners
une mention bien	a good grade
une mention passable	a pass grade
le taux de réussite	percentage of passes
le taux d'échec élevé	high failure rate
le nivellement par le bas	levelling down of standards
atteindre le niveau de qualification nécessaire	to reach the required standard
le palmarès	top rating
décerner un prix	to award a prize
la distribution des prix	prize giving

D ## L'Après-bac

After A Levels

le bachelier	s.o. who has passed A Level
poursuivre ses études	to continue one's studies
faire des études plus poussées	to do more advanced work
la course effrénée aux diplômes	frantic race for qualifications
passer un concours	to take a competitive exam
s'inscrire à la faculté	to sign on for a university course
l'école normale	training college
des études de lettres	Arts course
le cours magistral la conférence	lecture
le DEUG (Diplôme d'Etudes Universitaires Générales)	first university exam
la licence	Bachelor's degree
la maîtrise	Master's degree
le CAPES	teaching diploma
l'agrégation (*f*)	postgraduate competitive examination
l'énarque (*m, f*)	student or former student of the Ecole Normale d'Administration
faire de la recherche	to do research
la thèse de doctorat	doctoral thesis

Le Travail

La Formation professionnelle

Job Training A

engendrer des chômeurs diplômés	to create unemployed graduates
un diplôme monnayable	a marketable qualification
plus on est diplômé, moins on risque d'être au chômage	the better qualified you are, the less likely you are to be out of work
l'orientation professionnelle	career guidance
faire des projets d'avenir	to make plans for the future
se destiner à une carrière dans...	to be aiming for a career in...
se fixer un objectif	to set oneself a goal, to aim at...
se prémunir	to equip oneself
affronter les mutations techno-logiques	to cope with technological changes
le/la débutant(e)	beginner
l'entraînement (m)	training
l'apprentissage (m)	apprenticeship, learning process
effectuer un stage	to do a course
le/la stagiaire	course participant
la formation continue	on-going training
la formation en alternance	vocational training alternating with lessons
l'apprentissage (m) sur le terrain	apprenticeship in the workplace
être formé(e) sur le tas	to learn the job while doing it
s'initier aux pratiques du métier	to get basic experience of a job
acquérir une compétence	to acquire competence
connaître les ficelles du métier	to know the ins and outs of the job
l'insertion professionnelle	getting into the job market

Le Marché du travail

The Job Market B

la population active	the working population
une pénurie de main d'œuvre	a shortage of labour
personnel qualifié	qualified staff

un manque aigu d'hommes de terrain	an acute shortage of experienced people
l'inadaptation de l'offre à la demande d'emploi	unsuitability of applications in in relation to jobs offered
la surqualification par rapport aux métiers réellement exercés	overqualification in relation to the work actually done

C **Poser sa candidature**

Applying

l'ANPE (L'Agence nationale pour l'emploi)	National Employment Agency
les offres (f) d'emploi	advertisements for jobs
offrir d'intéressants débouchés	to offer interesting job prospects
le recrutement	recruitment
s'insérer sur un créneau dégagé	to find and fill a gap in the job market
un secteur porteur/d'avenir	an area with good prospects
éviter les secteurs en déclin	to avoid areas with poor prospects
miser sur ses atouts	to play on one's good points
s'inscrire comme demandeur d'emploi	to sign on as unemployed and looking for work
faire des démarches auprès de...	to make approaches to...
poser sa candidature	to make an application
posséder les qualifications requises	to possess the required qualifications
avoir un niveau de formation (in)suffisant	to have (in)adequate qualifications
fournir des références	to provide references
se faire embaucher	to be taken on
trouver une situation	to find a job
réussir par ses propres moyens	to succeed by one's own efforts
obtenir un emploi par relations	to get a job through contacts
arriver par le piston	to succeed thanks to influence
une offre séduisante	very attractive offer
un décalage entre le niveau de qualifications requis et le salaire proposé	discrepancy between the level of qualifications required and the salary offered
un contrat à durée déterminée	temporary contract
indéterminée	permanent contract
une embauche définitive	permanent job
un emploi stable	a secure job
la sécurité de l'emploi	job security

un emploi précaire	an insecure job
demander une mutation	to request a transfer

La Foire d'empoigne

The Rat-race

avoir le pied à l'étrier	to be on the way up
travailler avec entrain	to work with enthusiasm
être expérimenté(e)	to be experienced
valoir son pesant d'or	to be worth one's weight in gold
le salaire au mérite	performance-related pay
avoir le vent en poupe	to be going up in the world
se faire pistonner	to get s.o. to pull strings for you
gravir les échelons	to climb up the ladder
sauter sur l'occasion qui se présente	to leap at the opportunity
être promu(e)	to be promoted
accéder au statut de cadre	to reach the position of executive
être doublé(e) au poteau	to be pipped at the post

L'Industrie

Industry

le bâtiment	building trade
l'industrie (f) pétrolière	oil industry
automobile	car industry
alimentaire	food industry
textile	textile industry
métallurgique	steel industry
manufacturière	manufacturing industry
la chaîne de montage	production line
un travail abêtissant ⎱ abrutissant ⎰	stupefyingly tedious job
le travail par roulement	shift work
le chef d'équipe ⎱ le contremaître ⎰	foreman
l'ouvrier spécialisé	skilled worker
le manœuvre	unskilled worker
le métier manuel	craft

Le Bureau

The Office

la fonction publique	civil service
le/la fonctionnaire	civil servant
le secteur tertiaire	service industries
le col blanc	white-collar worker

le col bleu	blue-collar worker
assurer la permanence	to be on duty/call
le cadre moyen	middle manager
le cadre supérieur	top manager
gérer une entreprise	to run a business
la gestion	management (*abstract*)
la direction	management (*people*)
le président-directeur général/ p.-d.g.	managing director
le siège social	head office
la succursale	branch

G **Les Horaires** — **Working Hours**

le travail saisonnier	seasonal work
le travail intérimaire	temporary work, 'filling in' for s.o.
le travail au noir	moonlighting
travailler dans la clandestinité	to work illegally
travailler à temps plein	to work full-time
à temps partiel	part-time
à mi-temps	half-time
des heures supplémentaires	overtime
prendre la relève	to take over (shift) from someone
chercher un créneau dans un emploi du temps chargé	to look for a gap in a busy schedule
l'aménagement (*m*) des horaires	introduction of flexible hours
la pause-déjeuner	lunch break
le taux d'absentéisme (*m*)	rate of absenteeism
l'assiduité (*f*)	regular attendance
le jour férié	public holiday
faire le pont	to take an extra day off between a public holiday and a weekend
le jour de congé	day off
le congé payé	paid holiday
partir en congé de maternité	to go on maternity leave
maladie	sick leave

H **Les Grèves** — **Strikes**

lancer un appel de grève	to call a strike
le/la gréviste	striker
se porter gréviste	to join a strike

l'arrêt (*m*) de travail	walk-out
le piquet de grève	picket
étendre le mouvement à d'autres secteurs	to spread the movement to other areas of industry
mener un conflit au coude à coude	to stand shoulder to shoulder in a dispute
la revendication	demand, complaint
(peu) légitime	(not) legitimate
le SMIC (salaire minimum inter-professionnel de croissance)	minimum wage
une augmentation des salaires	increase in salaries
le partage des gains de productivité	sharing benefits of increased productivity
une diminution du temps de travail	reduction in working hours
une cinquième semaine de congé payé	fifth week of paid holiday
la retraite à soixante ans	retirement at sixty
le syndicat	union
adhérer à	to join
la cotisation syndicale	union dues, subscription
le/la syndicaliste	union member
le/la responsable syndical(e)	union official
le/la délégué(e) syndical(e)	union representative
l'affaiblissement (*m*) de l'esprit syndicaliste	decline in union support
le poids syndical s'est allégé	union influence has decreased

Le Chômage

Unemployment

une période peu propice à l'emploi	an unfavourable period for employment
les circonstances tendent à dissuader l'embauche	the circumstances put people off recruiting staff
les circonstances poussent à des licenciements	the circumstances are forcing redundancies
débaucher	to get rid of staff
l'allègement (*m*) des effectifs	reduction in staff
les sureffectifs (*m*)	unnecessary staff
recenser les méthodes de production	to review production methods
les mutations industrielles	industrial change

un personnel (non) préparé aux mutations technologiques	a staff (un)prepared for technological change
être en mal d'adaptation	to have problems with adapting
l'ordinateur (*m*)	computer
la robotisation (*f*)	replacement of workers by robots
supprimer des emplois	to get rid of jobs by natural wastage
mettre qqn. en préretraite	to force s.o. into early retirement
la retraite anticipée	early retirement
le préavis de licenciement	redundancy notice
mettre en chômage technique	to lay off
être en chômage technique	to be laid off
licencier renvoyer congédier virer	to sack
être au chômage	to be out of work
le/la chômeur(-euse)	unemployed person
le désœuvrement	having nothing to do
l'oisiveté (*f*)	idleness
se tourner les pouces	to twiddle one's thumbs
l'allocation (*f*) de chômage	unemployment benefit
toucher l'aide publique	to be on social security
les inactifs allocataires	non-working population drawing benefit
le chômage de longue durée	long-term unemployment
le coût humain	the cost in human terms
avoir l'impression d'être mis(e) au rebut	to feel rejected
les laissés-pour-compte	society's rejects
un pays embourbé dans le chômage	country bogged down in unemployment
le chômage a franchi le cap de...	unemployment has passed the ... mark
prendre des mesures pour favoriser l'emploi	to take measures to help increase employment
endiguer le chômage	to halt the increase in unemployment
le taux de chômage a marqué un palier	the unemployment figures have reached a plateau
on a constaté une diminution un repli	a decrease has been registered

la baisse est faible   the decrease is slight
       sensible   significant
la courbe de l'emploi se remet à   the employment curve is starting
  grimper   to rise again
l'embauche (f) repart   people are taking on staff again
un secteur qui s'enrichit de   an area which is offering more and
  créneaux   more job vacancies
les offres d'emploi poursuivent   the increase in the number of
  leur remontée   vacancies is continuing
un taux de chômage ramené à 5%   an unemployment rate brought
  de la population active   down to 5% of the workforce

La Santé

Les Soins médicaux

Medical Care

garder la forme	to keep fit
être en bonne santé	to be in good health
être bien portant(e)	to be well
être en pleine forme	to be extremely well
être un peu fatigué(e)	to be under the weather
être souffrant(e)	to be unwell
se sentir malade	to feel ill
présenter les symptômes de...	to show the symptoms of...
se faire soigner	to get medical attention
le médecin généraliste	general practitioner
le médecin conventionné	National Health doctor
le/la spécialiste	consultant
le chirurgien	surgeon
le chirurgien dentiste	dental surgeon
le cabinet de consultation	doctor's/dentist's surgery
la consultation	visit to the doctor
les premiers soins	first aid
le pansement	bandage
la piqûre	injection
le docteur lui a tâté le pouls	the doctor took his/her pulse
la maladie (à longue durée)	(long-term) illness
le malade	patient
le microbe	germ
le virus	virus
l'épidémie (f)	epidemic
suivre un traitement	to have treatment
garder le lit	to stay in bed
le remède	cure
l'ordonnance (f)	prescription
le médicament	medicine
la posologie	dosage
le comprimé	pill
le vaccin	vaccine

suivre un régime	to be on a diet
maigrir	to lose weight
grossir	to put on weight
être hospitalisé(e)	to be taken to hospital
le SAMU (service d'aide médicale urgente)	emergency ambulance service
le brancard	stretcher
le centre hospitalier	general hospital
la clinique	private hospital
se faire opérer	to have an operation
une intervention chirurgicale	operation
la salle d'opération	operating theatre
la tranfusion sanguine	blood transfusion
l'infirmier/l'infirmière	nurse
la sage-femme	midwife
le fauteuil roulant	wheelchair
la béquille	crutch
se remettre/se rétablir	to recover
l'assurance-maladie (f)	medical insurance

La Drogue / Drugs

B

I

le goût de la transgression	desire to do something wrong
participer au monde adulte	to be a part of the adult world
gagner un certain prestige	to win a kind of prestige
un environnement mal supporté	an environment you can't stand
un moyen d'évasion rapide	a rapid means of escape
s'évader du quotidien	to escape from the everyday
calmer l'angoisse	to calm a feeling of anguish
chercher son salut	to seek one's salvation

II

le stupéfiant	drug
la seringue	syringe
la drogue douce	soft drug
la drogue dure	hard drug
planer	to feel high
s'adonner à...	to become addicted to...
devenir toxicomane	to become a drug addict
la toxicomanie	addiction
entraîner une dépendance	to cause dependency

l'escalade fatale	inevitable increase in dependency
l'effet (*m*) à long terme	long-term effect
redoutable sur le plan organique	extremely bad for the body
la surdose mortelle	fatal overdose

III

avoir la volonté de décrocher	to have the will to kick the habit
la désintoxication	process of cure of an addiction
s'abstenir	to abstain from
se priver/se passer de...	to do without
sevrer qqn. d'une drogue	to wean s.o. off a drug
de l'alcool	alcohol
mettre un terme à la dépendance physique	to bring an end to physical dependency
le sevrage psychologique	getting over psychological dependency
le syndrome de manque	withdrawal symptoms
des douleurs diffuses	pains all over
une insomnie tenace	incurable insomnia
une angoisse épouvantable	terrible anxiety
il n'y a pas de remède miracle	there is no miracle cure
le projet de réinsertion	rehabilitation programme
la rechute	relapse, return to consumption

IV

le narcotrafiquant	drug trafficker
l'acheminement (*m*)	moving drugs from place to place
le/la vendeur(-euse)	pusher
le cartel	ring
démanteler une filière	to bust a drug ring
endiguer	to bring under control

Les Sciences et la technologie

La Recherche scientifique

Scientific Research

le chercheur/la chercheuse	researcher
le pionnier	pioneer
le laboratoire	laboratory
l'éprouvette (*f*)	test tube
acquérir des connaissances	to acquire knowledge
maîtriser une technique	to master a technique
perfectionner une technique	to perfect a technique
la mise au point	process of getting it right
la percée technologique	technological breakthrough
s'attaquer à des domaines neufs	to deal with new areas
le dernier cri de la technologie	the last word in technology
le foisonnement d'innovations	profusion of new discoveries
prendre les devants	to be in the lead
brûler les étapes	to make very rapid progress
percer les secrets	to uncover secrets
bouleverser de fond en comble un domaine de la technologie	to shake an area of technology to its foundations
automiser une usine	to automate a factory
engendrer le bien-être	to enhance the quality of life
élever le niveau de vie	to raise living standards
l'utilisation abusive/dévoyée	misuse
fabriquer du chômage	to create unemployment
l'électronique tue plus d'emplois qu'elle ne crée	electronics kills more jobs than it creates
tarder à se moderniser	to be slow in getting up to date
cesser d'être compétitif	to stop being competitive

La Recherche médicale

Medical Research

les produits (*m*) pharmaceutiques	pharmaceutical products
le diagnostic	diagnosis
le médicament	medicine
la technique chirurgicale	surgical technique
maîtriser des techniques	to master techniques

77

l'amélioration (f) des connaissances	improvement in knowledge
accomplir des progrès fulgurants	to make staggering progress
aborder les transformations qui s'amorcent	to tackle new developments
une maladie sévit	a disease is rife
dépister l'origine d'une maladie	to trace the origin of a disease
le dépistage précoce	early diagnosis
prénatal	diagnosis before birth
la mise au point d'un vaccin	perfecting of a vaccine
du meilleur schéma thérapeutique	the best treatment
évaluer la toxicité d'une substance	to evaluate the toxic nature of a substance
repérer les effets secondaires	to identify the side effects
une maladie en régression	illness which is disappearing
recourir à...	to have recourse to...
passer par une phase indispensable	to go through an essential stage
être indispensable pour certaines recherches	to be invaluable in certain areas of research
l'experimentation animale	vivisection
susciter de violents polémiques	to arouse fierce argument
l'élevage clandestin	illegal breeding
le ramassage sauvage	culling of wild/stray animals
infliger des souffrances à...	to inflict suffering on...
la réglementation rigoureuse	strict control
servir de cobaye	to be used as a guinea-pig
le prélèvement d'organes	removal of parts of the body
la greffe	transplant
les manipulations génétiques	genetic engineering
modifier le patrimoine génétique	to change the genetic inheritance
l'insémination artificielle	artificial insemination
le bébé-éprouvette	test-tube baby
l'acharnement (m) thérapeutique	desperate attempt to provide therapy
les soins palliatifs	medication to relieve pain
alléger la douleur	to relieve pain
être atteint(e) d'un mal incurable	to be terminally ill
le respirateur	life-support machine
mettre fin à des souffrances	to bring an end to suffering
administrer une dose mortelle	to administer a fatal dose
débrancher un(e) patient(e) en coma irréversible	to switch off the life-support machine of a patient in a terminal coma

le cas désespéré — patient at death's door
la relation bénéfice/risque — the benefit/risk equation
comporter un risque — to carry a risk
mieux vaut prévenir que guérir — prevention is better than cure
le dilemme entre la conscience et le droit — the dilemma of conscience versus the law
le mépris de l'être humain — contempt for the human being
une atteinte à la dignité de l'individu — assault on human dignity
être contraire aux principes du droit — to be against basic legal rights

L'Informatique | Computer Studies

un ordinateur — computer
un traitement de textes — word processor
l'informatique (f) — computer science
la micro-informatique — microcomputer science
l'informaticien(-ienne) — computer scientist
le/la programmeur(-euse) — computer programmer
le matériel — hardware
le logiciel — software
la base de données — database
la puce — microchip
le microcircuit — microcircuit
la criminalité informatique — breaking into computer pro-grammes

La Diététique | Dietary Science

la cuisine minceur — food for slimmers
l'alimentation (f) quotidienne — daily intake of food
industrielle — junk food
la carence en vitamines — lack of vitamins
la teneur en sucre — sugar content
riche en graisses — fatty
être néfaste pour l'organisme — to be harmful to the system
provoquer la mort prématurée — to cause premature death
avoir des kilos en trop — to be overweight
être au régime — to be on a diet
le pain complet — wholemeal bread
le son (de blé) — bran
la protéine — protein

les sels (*m*) de fer	irons
la sous-alimentation ⎫	
l'insuffisance (*f*) alimentaire ⎭	undernourishment
l'anorexie (*f*)	anorexia
les farineux (*m*) ⎫	
les féculents (*m*) ⎭	starchy foods
la crise de foie ⎫	
le désordre hépatique ⎭	liver trouble

L'Ecologie et l'environnement

L'Exploitation des ressources	**Exploitation of Resources**
surexploiter	to overexploit
puiser dans le patrimoine	to use up our heritage
répondre aux besoins énergétiques	to meet the needs for energy supply
le charbon/la houille	coal
le gaz	gas
le gisement	deposit (*oil, gas*)
la plate-forme pétrolière	oil rig
le pétrolier	oil tanker
l'oléoduc (*m*) le pipeline	oil pipeline
acheminer le brut jusqu'au terminal	to bring the oil to the terminal
le baril de brut	barrel of crude oil
le carburant	fuel
l'essence (*f*)	petrol
le fuel	heating oil
le gasoil	diesel fuel
la centrale nucléaire	nuclear power station
électrique	conventional power station
les décharges industrielles	industrial waste
les émissions (*f*) de gaz carbonique	discharge of carbon gas
le taux d'oxyde de soufre	level of sulphuric oxide
les chlorofluorocarbones/CFC	CFC gases
la bombe aérosol	aerosol spray
le système réfrigérant	refrigeration system
l'agriculture (*f*) à grand renfort d'engrais chimiques	agriculture which relies heavily on chemical fertilizers
déverser des pesticides	to pour on pesticides
les polluants (*m*)	pollutants
le déboisement le défrichement	deforestation

B | Les Retombées

avoir un effet dévastateur	to have a devastating effect
les effets (m) néfastes	harmful effects
la nocivité de qqch.	harmful nature of something
se déverser dans la mer	to flow into the sea
au large des côtes	off the coast
les dégâts (m) écologiques	damage to the environment
l'hécatombe (f)	mass destruction
la dégradation de l'eau	deterioration of water
des sols	soil
de l'environnement	the environment
se détériorer	to deteriorate
le dépérissement des forêts	dying off of forests
les déchets radioactifs	radioactive waste
les malformations génétiques	genetic disorders
les pluies (f) acides	acid rain
le trou dans la couche d'ozone	hole in the ozone layer
l'effet (m) de serre	greenhouse effect
la hausse généralisée de la température	general rise in temperature
la sécheresse	drought
la fonte des calottes polaires	melting of polar icecaps
faire monter le niveau des océans	to cause a rise in sea-level
le raz-de-marée	tidal wave
rayer de la carte	to wipe off the map
le pouvoir d'épuration des océans	capacity of the sea to absorb toxic pollutants
arriver au seuil de saturation	to reach saturation point
dépasser le seuil	to go beyond the point
le seuil catastrophe	disaster level
les espèces menacées	threatened species
être en voie de disparition	to be on the way to extinction

C | Les Mesures à prendre

une meilleure gestion des ressources	better management of resources
limiter les dégâts	to contain the damage
sensibiliser les opinions	to make people aware of the problem
prévoir les conséquences	to foresee the consequences

The Consequences

Measures Required

les industriels virent au vert	industrialists are becoming more concerned about the environment
les choses s'améliorent/s'arrangent	things are improving
la survie des espèces	survival of species
l'assainissement (*m*)	cleaning up
les travaux (*m*) de dépollution	cleaning-up operation
changer de mode de consom-mation énergétique	to change the energy supply
privilégier les énergies non-polluantes	to favour non-polluting forms of energy
au détriment des énergies fossiles	in preference to fossil fuels
la houille blanche	hydro-electric power
l'énergie solaire (*f*)	solar energy
l'électricité marémotrice	tidal power
l'essence sans plomb	lead-free petrol
les matériaux (*m*) bio-dégradables	bio-degradable substances
l'usine (*f*) de retraitement	treatment plant
traiter les déchets	to treat waste
recycler les détritus	to recycle waste
l'épuration (*f*) des eaux usées	purification of used water supplies
se doter d'équipement	to equip o.s.
contrôler les rejets polluants	to control pollutant waste
protéger les réserves d'eau douce	to protect stocks of drinking water
la politique efficace de reboisement	effective policy of replanting (*trees*)

Les Voyages et les moyens de transport

 Prendre le volant **Driving**

I

l'automobiliste	driver
l'auto-école (f)	driving school
le/la moniteur(-trice)	instructor
l'examen du permis de conduire	driving test
obtenir le permis de conduire	to get a driving licence
du premier coup	at the first attempt
la vignette	tax disc
la police d'assurance	insurance policy
le numéro d'immatriculation	registration number
la plaque minéralogique	number plate

II

la voiture particulière	private car
mettre le moteur en marche	to start the engine
démarrer	to move off
changer de vitesse	to change gear
caler	to stall
l'agglomération(f)	built-up area
la voie piétonne/piétonnière	road for pedestrians only
la piste cyclable	cycle lane
le couloir réservé aux autobus	bus lane
le feu rouge } les feux de circulation }	traffic lights
le rond-point	roundabout
le carrefour	crossroads
la rue à sens unique	one-way street
rouler en sens interdit	to drive the wrong way along a one-way street
le sens giratoire	giratory system
être dans la bonne/mauvaise file	to be in the right/wrong lane
le virage	bend

le périphérique ⎤
le boulevard de ceinture ⎦   ring-road

le passage à niveau   level crossing

III

le réseau routier	road network
la route carrossable	road suitable for motor vehicles
la (route) nationale/(R) N	'A' road
départementale/(R) D	'B' road
l'autoroute (f)/A	motorway
le péage	toll (*money and collecting place*)
l'échangeur (m)	motorway junction
la bretelle d'accès	slip road
la voie de raccordement	slip road, link road to motorway
la bande médiane	central reservation
la tronçon	section, stretch of road
l'aire (f) de repos	lay-by
l'aire (f) de service	service area
l'accotement stabilisé	hard shoulder
le bas-côté	verge
la chaussée déformée	bad road surface
les travaux (m)	road works
route barrée	road closed
la déviation	diversion
le panneau (de signalisation)	road sign
la carte routière	road map
faire un crochet	to make a detour
prendre un raccourci	to take a short cut
se tromper de route	to take the wrong road
les heures de pointe/d'affluence	peak hours
le goulot d'étranglement	bottle-neck

le bouchon ⎤
l'embouteillage (m) ⎬   traffic jam
l'encombrement (m) ⎦

entraver la circulation	to hold up the traffic
il y a un ralentissement	traffic is slow-moving
pare-chocs contre pare-chocs	bumper to bumper
l'itinéraire (m) de délestage	route to relieve congestion
suivez les flèches vertes	follow the green arrows
l'itinéraire (m) de 'bison futé'	route using less congested roads
suivez bison futé	follow the 'crafty bison' signs

la circulation est dense	
le trafic est important	traffic is heavy
la circulation est fluide	traffic is flowing smoothly

IV

la sécurité routière	road safety
conduire prudemment	to drive carefully
rouler lentement	to drive slowly
à toute allure/vitesse	fast
à fond de train	flat out
foncer	
appuyer sur le champignon	to put one's foot down
dépasser/doubler	to overtake
freiner (à mort)	to brake (violently)
ralentir	to slow down
accélérer	to accelerate
respecter le code de la route	to obey the highway code
la limitation de vitesse	to observe the speed limit
la vitesse maximale autorisée	speed limit
dépasser la limitation de vitesse	to exceed the speed limit
le contrôle radar	radar speed check
boucler la ceinture	to fasten the seat-belt
le chauffard	road hog
brûler/griller un feu rouge	to go through a red light
dépasser dans un virage	to overtake on a bend
couper la ligne blanche	to go over the white line in the middle of the road
le motard	motorcycle cop
l'alcootest (*m*)	breathaliser
dresser une contravention	to issue a ticket
déraper	to skid
rouler en sens inverse	to be coming the other way
entrer en collision avec	to collide with
heurter de plein fouet	to have a head-on collision with
rentrer dans	
percuter	to crash into
le carambolage (en série)	multiple crash, pile-up
sortir indemne	to escape without a scratch
faire un constat	to make a statement

V

se garer en double file	to double-park
en zone bleue	to park in a restricted area
le contractuel/la contractuelle	traffic warden
le papillon	parking ticket (*slang*)
la fourrière	car pound
être passible d'une amende	to be liable for a fine

VI

tomber en panne	to break down
la crevaison	puncture
le cric	jack
la roue de secours	spare wheel
être en panne sèche	to be out of petrol
la nourrice ⎫	
le bidon de réserve ⎭	petrol can
faire venir une dépanneuse	to send for a breakdown truck
se faire remorquer	to get a tow
le mécanicien/la mécanicienne	mechanic
dépanner qqn.	to help s.o. out of a difficulty
la pièce de rechange	spare part
la réparation (de fortune)	(amateur/temporary) repair
remorquer	to tow
démonter le moteur	to strip down the engine
la station-service	service station
le/la pompiste	petrol pump attendant
libre service	self service
faire le plein	to fill up
l'ordinaire (*m*)	two-star petrol
le super	four-star petrol
l'essence (*f*) sans plomb	lead-free petrol
le gas-oil	diesel fuel
le prix du carburant	price of fuel
le lavage	car wash
la vidange	oil-change
vérifier l'huile	to check the oil
les pneus	tyres
la batterie	battery
le radiateur	radiator
l'antigel (*m*)	antifreeze
la carrosserie	bodywork of a vehicle
le capot	bonnet

le coffre	boot
le siège avant	front seat
arrière	back seat
la banquette	bench seat
le démarreur	starter
le starter	choke
l'embrayage (*m*)	clutch
le frein (à main)	(hand) brake
allumer les phares (*m*)	to switch on the headlights
les feux de stationnement	side lights
mettre les phares en code	to dip the lights
le klaxon	horn
klaxonner	to sound the horn
mettre le clignotant	to put on the indicator
le pare-brise	windscreen
voler en éclats	to shatter
l'essuie-glaces (*m*)	windscreen wiper
le volant	steering wheel
la direction	steering
le rétroviseur	rear-view mirror
le pot d'échappement	exhaust pipe
le silencieux	silencer
le pot catalytique	catalytic converter
la galerie	roof-rack

B

Prendre le train   Going by train

la SNCF (Société Nationale des Chemins de fer Français)	French Railways
le réseau ferroviaire	railway network
la gare de triage	marshalling yard
la voie de garage	siding
le bureau de renseignements	information office
se renseigner	to enquire
l'horaire (*m*)	timetable
la fiche horaire	timetable leaflet for one route
le train circule tous les jours	the train runs every day
sauf dimanches et fêtes	except Sundays and public holidays
circulation périodique	irregular service
le guichet	ticket office
réserver une place	to reserve a seat

le bulletin de réservation	reservation slip
voyager en première	to travel first class
seconde	second class
un compartiment (non) fumeur	a (non) smoking carriage
le billet simple	single ticket
aller-retour	return ticket
le supplément	supplementary charge
la réduction	reduction
valable	valid
la validité	validity
le distributeur automatique	ticket machine
faire l'appoint	to put in the correct money
cet appareil ne rend pas la monnaie	this machine does not give change
composter	to validate, date-stamp
la salle d'attente	waiting room
la salle des pas perdus	station concourse
la voie	track
le quai	platform
le passage souterrain	subway
la passerelle	footbridge
le train entre en gare	the train comes in
en provenance de...	coming from...
à destination de...	going to...
un train direct	through train
un changement de train	change of trains
la correspondance	connection
le train dessert les gares de...	the train stops at...
le TGV (Train à Grande Vitesse)	high-speed train
la ligne classique	original (pre-TGV) route
le rapide	fast train
l'express (m)	semi-fast train
l'omnibus (m)	stopping train
l'autorail (m)	local diesel train
la motrice	locomotive
en queue	at the back
en tête	at the front
la voiture climatisée	air-conditioned coach
CORAIL	modern, air-conditioned coach
le wagon-lit	sleeping car
le fourgon	luggage van

la restauration	catering facilities
le gril express	self-service restaurant car
la vente ambulante	refreshment trolley
la portière	door
le couloir	corridor
la banquette	bench seat
le porte-bagages	luggage rack
les bagages (*m pl*)	luggage
la valise	suitcase
le sac	bag
le sac à dos	rucksack
le chariot	luggage trolley
la consigne (automatique)	left luggage (locker)

C **Prendre l'autobus** — **Going by bus**

le car	coach between towns and villages
la gare routière	bus/coach station
l'arrêt de bus	bus stop
l'arrêt obligatoire	compulsory stop
facultatif	request stop
faire signe au machiniste	to signal to the driver
le car de ramassage scolaire	school bus
le chauffeur	driver
le receveur/la receveuse	conductor/conductress
le contrôleur/la contrôleuse	inspector

D **Prendre le métro** — **Going by underground**

la RATP (Régie Autonome des Transports Parisiens)	Paris Bus and Underground
le RER (Réseau Express Régional)	fast train service to Paris suburbs
la station de métro	underground station
la bouche du métro	underground station entrance
le carnet de tickets	book of ten tickets
l'abonnement (*m*)	season ticket
la rame	train (*also used for SNCF trains*)

E **Prendre un taxi** — **Going by taxi**

la station de taxis	taxi rank
le barème des tarifs	scale of charges
le prix de la course	fare

le supplément	extra charge
le pourboire	tip

Prendre le bateau

Going by boat F

le paquebot	liner
le vaisseau	vessel
le vapeur	steam-boat
la péniche	barge
la vedette	speed-boat
le port (d'attache)	(home) port
le poste d'accostage	berth
la passerelle	gangway
l'embarquement (*m*)	embarcation
le débarquement	disembarcation
la croisière	cruise
la traversée	crossing
la cargaison	cargo
la cale	cargo hold
la mer est belle	the sea is calm
forte	rough
la houle	swell
tanguer	to pitch
avoir le pied marin	to have one's 'sea legs'
le mal de mer	sea sickness
être à la dérive	to drift
chavirer	to capsize
couler (au fond)	to sink (to the bottom)
le naufrage	shipwreck
le canot de sauvetage	lifeboat
le gilet de sauvetage	lifejacket
l'épave (*f*)	wreck

Prendre l'avion

Going by plane G

l'aéroport (*m*)	airport
l'aérogare (*f*)	terminal
le comptoir d'enregistrement	check-in desk
l'appareil (*m*)	aircraft
la carlingue	fuselage
le poste de pilotage	cockpit
l'aile (*f*)	wing

le moteur à réaction	jet engine
le long-courrier	long-haul plane
le moyen-courrier	middle-distance plane
faire escale	to make a stop-over
à bord	on board
le pilote	pilot
l'équipage (*m*)	crew
l'hôtesse (*f*)	hostess
le steward	steward
la piste d'envol	runway
les balises (de nuit)	runway lights
la tour de contrôle	control tower
décoller	to take off
franchir le mur du son	to go through the sound barrier
les aiguilleurs du ciel	
les contrôleurs du trafic aérien	air traffic controllers
le couloir aérien	air corridor
l'engorgement du trafic aérien	air traffic congestion
survoler Paris	to fly over Paris
à dix mille mètres d'altitude	33,000 feet up
les consignes de sécurité	safety instructions
atterrir	to land
l'atterrissage (*m*) en catastrophe	crash landing
s'écraser	to crash
la boîte noire	flight recorder, 'black box'

H **Les Autres Moyens de transport** — **Other forms of transport**

le vélo	bicycle
le guidon	handlebars
la selle	saddle
le deux-roues	
le vélomoteur	moped
la moto	motorbike
le port obligatoire du casque	compulsory wearing of helmet
le camion	lorry
le camionneur	
le routier	lorry driver
le camion citerne	tanker
le poids lourd	heavy goods vehicle
la camionnette	van

l'aéroglisseur (*m*) } l'hovercraft (*m*) }	hovercraft
la navette	shuttle service
faire de l'autostop/du stop	to hitch-hike

Les Voyages en général

Travelling in general

les transports en commun } collectifs }	public transport
frôler l'asphyxie	to be near bursting point
par quel moyen de transport?	by what form of transport?
monter dans...	to get into...
descendre de...	to get off...
déposer qqn.	to drop s.o. off
se mettre en route	to set off (*person as subject*)
se mettre en marche	to move off (*vehicle as subject*)
arriver à bon port	to arrive safely
le point de chute	place to stay temporarily
bondé(e)	crowded
emprunter l'autoroute	to use the motorway
le passage souterrain	subway
passer par...	to go via...

le renseignement diffusé par
  haut-parleur
	information broadcast over
	  loudspeakers

le trafic est perturbé	traffic is disrupted
subir un retard	to be subject to a delay
à vol d'oiseau	as the crow flies
il faut deux heures	it takes two hours
le décalage horaire	time difference
le parcours	journey, part of journey
le trajet	journey
faire un saut jusqu'à...	to pop over to...
la frontière	border
le contrôle des passeports	passport control
un passeport périmé	an out-of-date passport
la douane	customs
le douanier/la douanière	customs officer
effectuer des contrôles	to carry out checks

Les Médias

A | La Radio

| Radio |

diffuser — to broadcast
le poste émetteur — transmitter
l'antenne (f) — aerial
capter une émission — to pick up a broadcast
sur ondes courtes — on short wave
    ondes moyennes — medium wave
    grandes ondes — long wave
    modulation de fréquence — FM
les parasites (m) — interference
une émission en direct — a live broadcast
             en différé — a recorded broadcast
enregistrer — to record
l'auditeur/auditrice — listener
le journal — news programme
le bulletin d'informations — news bulletin
le flash — news flash
le point sur l'actualité — news summary
les points chauds de l'actualité — main points of the news
les actualités régionales — regional news
le radio reportage — radio news reporting
le présentateur/la présentatrice — news reader
le speaker/la speakerine — announcer

B | La Télévision

Television

le téléviseur — television set
le petit écran — the small screen
le magnétoscope — video recorder
la chaîne — channel
la grille de programmes — programme schedule
le téléjournal — TV news
le feuilleton — soap opera
le documentaire — documentary
l'émission enfantine — children's programme

le programme de variétés	variety show
l'animateur/l'animatrice	compère
la reprise	repeat
le réalisateur/la réalisatrice	producer
la course à l'audience	competition between channels
les indices (*m*) d'écoute	audience ratings
drainer une large audience	to draw a wide audience
la télévision par satellite	satellite TV
une antenne parabolique	satellite dish
la chaîne à péage ⎫ cryptée ⎬	subscription channel
le décodeur	decoding equipment
être relié(e) à un réseau câblé	to be connected to a cable network
le canal câblé	cable channel
la télécommande	remote control
zapper	to switch from channel to channel

certains programmes ont une
   valeur éducative
	some programmes have an
	   educational value

encourager la passivité	to encourage passivity
détruire l'art de la conversation	to destroy the art of conversation
accaparer l'attention des enfants	to monopolise children's attention
s'abêtir ⎫ s'abrutir ⎬	to become moronic
c'est abrutissant ⎫ abêtissant ⎬	it dulls people's wits

Le Théâtre

Theatre

le spectacle	show
être à l'affiche	to be on, showing
la pièce tient l'affiche	the play is running
quitte l'affiche	is coming off
la location à l'avance	advance booking
la répétition générale	dress rehearsal
la première	first night
la représentation	performance
la distribution	cast
interpréter un rôle	to play a part
faire du théâtre	to go on the stage
le comédien/la comédienne	actor/actress
l'acteur/actrice comique	comedian/comedienne
la mise en scène	production
le metteur en scène	director

le décor	scenery
le rideau	curtain
les coulisses (f)	wings
la scène	set
la rampe	footlights
le régisseur	stage manager
le souffleur	prompter
souffler la réplique	to give a prompt
salle comble	full house
faire salle comble	to play to full houses
le bide	flop
l'entracte (m)	interval
la relâche hebdomadaire	weekly closure
le théâtre subventionné	subsidised theatre
le bureau de location	box-office

D ### Le Cinéma / **Cinema**

le cinéphile	regular film goer
la commission de censure	board of censors
la sortie	release
la séance permanente	continuous showing
passer	to be showing
tourner un film	to make a film
sur le plateau	on set
en extérieur	on location
le/la scénariste	scriptwriter
le scénario	screenplay
le producteur/la productrice	producer
le réalisateur/la réalisatrice	director
doubler	to dub
en version française	dubbed in French
en version originale	in the original language
sous-titré(e)	sub-titled
le court-métrage	short film
la bande-annonce	trailer
la vedette	film star
(film) interdit aux moins de 18 ans	'18' film

E ### La Presse / **The Press**

I

le journal quotidien	daily newspaper
la revue/le magazine hebdomadaire	weekly magazine

mensuel(le)	monthly
l'illustré (*m*)	comic
la bande dessinée	comic strip
le lecteur/la lectrice	reader
s'abonner à...	to subscribe to...
un(e) abonné(e)	subscriber
un abonnement	subscription
le/la marchand(e) de journaux	newsagent
le kiosque	news stand

II

un journal à fort tirage	paper with a big circulation
tiré(e) à 100 000	with a circulation of 100,000
le rédacteur/la rédactrice	editor
l'équipe (*f*) de rédaction	editorial team
un article de tête	leading article
tenir la rubrique des sports	to write the sports column
le/la critique	critic
la critique	criticism
le compte rendu	review, account
un événement	event
les informations (*f*)	news
la nouvelle	item of news
les actualités (*f*)	current affairs
les faits divers	short news items
le reportage	report/reporting
tenir le public au courant	to keep the public up to date
rédiger un rapport	to write a report
les gros titres les manchettes (*f*)	headlines
à la une	on the front page
une(e) envoyé(e) spécial(e)	special correspondent
une exclusivité	scoop
commenter	to comment on
l'analyse (*f*)	analysis
les petites annonces	small ads
les faire-part de naissances, de mariages, de décès	announcements of births, marriages and deaths
la nécrologie	obituary column
le courrier	letters
les mots croisés	crossword

les annonces (f) publicitaires — advertisements
les revenus (m) publicitaires — advertising revenue

III

occuper le devant de la scène médiatique — to be the centre of media attention
la presse à sensation — the sensational press
le journal de petit format — tabloid paper
faire appel aux instincts les plus bas — to appeal to the basest instincts
un article de caractère diffamatoire — libellous article
une invasion de la vie privée — invasion of private life
le vice rapporte des bénéfices — vice makes money
alerter l'opinion publique — to arouse public opinion
une arrière-pensée politique — political ulterior motive
nourrir les préjugés/partis-pris (m) — to fuel prejudice
sauvegarder la libre parole — to protect free speech
un abus de la liberté d'information — an abuse of freedom of information
la censure — censorship
museler la presse — to gag the press

F **La Publicité** — **Advertising**

faire de la réclame — to advertise
le spot publicitaire — commercial
le placard publicitaire — advertisement hoarding
une campagne de publicité — advertising campaign
promouvoir — to promote
le fer de lance du marketing — spearhead of marketing
viser une cible — to have a target in view
le matraquage publicitaire — bombarding with advertising
la publicité tapageuse — obtrusive advertising
accrocher les consommateurs — to catch the consumers' attention
exploiter des désirs latents — to exploit hidden desires
susciter la convoitise — to arouse a desire to own
une communication persuasive — persuasive communication
décrocher la confiance des clients — to win the customers' confidence
faire une bonne prestation à l'antenne — to put on a good show on the air
diriger le choix — to influence choice
le conditionnement psychologique — psychological conditioning
agir sur le subconscient — to act on the subconscious
le lavage de cerveau — brainwashing

l'efficacité (*f*) du message	effectiveness of the message
créer des besoins superflus	to create imaginary needs
acheter aveuglément	to buy without thinking
vivre au-delà de ses moyens	to live beyond one's means
la société d'abondance	affluent society
de consommation	consumer society
une société gavée de biens	society over-provided with material possessions

A **La Production littéraire**　　　**Literary production**

l'écrivain (*m*)	writer
l'auteur (*m*)	author
l'ouvrage (*m*)	work
les œuvres complètes	complete works
le romancier/la romancière	novelist
le prosateur	writer of prose works
le roman	novel
le roman de mœurs	novel depicting aspects of society
d'anticipation	science fiction novel
feuilleton	serialised novel
à thèse	novel with philosophical message
le récit	short story
le conte	
le/la dramaturge	playwright
la pièce de théâtre	play
le poète	poet
le poème	poem
la poésie	poetry
le recueil	collection (*e.g. of poems*)
publier	to publish
l'éditeur/l'éditrice	publisher
inédit	unpublished
paraître en librairie	to be published
la parution d'un livre	publication of a book

B **Le Contenu**　　　**Contents**

le narrateur/la narratrice	narrator
s'inspirer de...	to get an idea, inspiration from...
l'idée (*f*) de départ	initial idea
traiter de...	to deal with...
il s'agit de...	it's about...
le scénario	situation

l'intrigue (*f*) se déroule	the plot unfolds
le personnage	character (*i.e. individual*)
le caractère	character (*i.e. personality*)
le protagoniste	protagonist (*i.e. participant*)
la péripétie	twist in the plot
le dénouement	outcome
décrire	to describe
représenter (avec exactitude)	to portray (accurately)
la description détaillée	detailed description
raconter (en détail)	to recount (in detail)
le réalisme	realism
peindre d'après nature	to depict life as it is
l'âpre vérité (*f*)	the harsh truth
l'objectivité (*f*)	objectivity
didactique	didactic, with a message
l'engagement (*m*)	commitment
la signification	significance, meaning
signifier	to mean
refléter	to reflect
dépayser les lecteurs	to take readers into a different world
le dépaysement	change of surroundings
idéaliser	to idealise
imaginaire	imaginary
évoquer	to evoke
chimérique	fanciful
irréel(le)	unreal
la fantaisie	fantasy
le rêve	dream
la nostalgie	nostalgia
la sentimentalité	sentimentality

La Critique littéraire

Literary Criticism

le compte-rendu critique	critical review
le commentaire	commentary
l'exposé (*m*) schématique	systematic explanation
décortiqueter un texte	to analyse a text in detail
une critique serrée	closely-argued criticism
analyser	to analyse
élucider	to clarify
éclaircir	to explain

C

l'éclaircissement (*m*)	explanation, clarification
évaluer	to evaluate
le résumé	
le sommaire	summary
l'abrégé (*m*)	
l'extrait (*m*)	extract
dégager l'idée maîtresse	to bring out the main idea
la morale	the moral
dépister une influence littéraire	to trace a literary influence
une œuvre de circonstance	work prompted by specific events
puiser des exemples dans...	to take examples from...
citer	to quote
la citation	quotation
porter un jugement sur...	to make a judgement on...

II

une œuvre couronnée de succès	a successful work
éprouver un goût très vif pour...	to have a strong taste for...
retirer un grand profit de...	to gain much from...
s'identifier avec les personnages	to identify with the characters
le chef d'œuvre	masterpiece
une œuvre de génie	work of genius
parfaite en son genre	a model of its kind
une œuvre d'une grande portée	highly significant work
l'auteur a de l'esprit	the author is witty
l'auteur s'exprime avec netteté	the author writes with precision
l'auteur traduit clairement ses idées	the author puts across his/her ideas clearly
l'auteur enrichit son récit de...	the author enriches his/her story with...
l'auteur est en avance sur les idées de son temps	the author is ahead of his/her time
on admire la puissance d'imagination	we admire the imaginative power
la puissance du raisonnement	power of reasoning
le foisonnement d'idées	wealth of ideas
la profondeur des sentiments	depth of feeling
la lucidité de la pensée	clarity of thought
le récit saisissant	striking narrative

les descriptions vives	vivid descriptions
l'ironie mordante	biting irony
l'esprit railleur	mocking wit
le style à l'emporte-pièce	incisive style
le style est sobre	the style is controlled
net/clair	clear
soigné	careful
nerveux	vigorous, terse
imagé	full of imagery
raffiné	refined
piquant	racy, entertaining
concis	concise
recherché	sophisticated
le livre passionne	the book thrills
tient en haleine	grips
suscite l'admiration	arouses admiration
suscite la réflexion	is thought-provoking
déborde d'humour	overflows with humour
est hilarant	is hilarious
est émouvant	is moving
est déroutant	is disturbing
est triste à pleurer	moves you to tears

III

je n'apprécie pas l'ambiguïté	I dislike the ambiguity
la circonlocution	wordy style
la prolixité	undue length
le verbiage	verbosity
la désuétude	old-fashioned air
les lieux communs	clichés
les platitudes	commonplace remarks
la niaiserie	silliness
les idées floues	vague ideas
les détails scabreux	risqué details
le style est contourné	the style is involved
maniéré	mannered
alambiqué	over-complicated
diffus	wordy
répétitif	repetitive
déclamatoire	pompous
enflé	inflated

archaïque	old-fashioned
farfelu	eccentric
banal	banale
fade	insipid
morne	drab
plat	flat
l'intrigue est invraisemblable	the plot is unbelievable
incohérente	incoherent
décousue	disjointed
les idées sont inaccessibles	the ideas are beyond reach
inintelligibles	incomprehensible
dépourvues de sens	senseless
illogiques	illogical
l'auteur sort du sujet	the writer goes off the point
saute d'un sujet à un autre	jumps from one subject to another
s'exprime de façon obscure	is hard to follow
pille/plagie	lifts from others
est un piètre écrivain	is very poor
l'ouvrage rebute les lecteurs	the work turns readers off
manque d'étoffe	lacks substance
le livre est ennuyeux	the book is boring
débile	feeble
illisible	unreadable
du charabia	rubbish
un navet	worthless

D **Les Beaux Arts** — **The Arts**

I

le patrimoine	heritage
l'archéologie (f)	archeology
le musée lapidaire	archeological museum
restaurer	to restore
le monument	historic building
les curiosités (f)	the sights
moyennâgeux(euse)	from the Middle Ages
mediéval(e)	medieval

II

les archives (f)	archives

l'exposition (*f*)	exhibition
le vernissage	preview
la peinture	painting
le portrait en pied	full-length portrait
la nature morte	still life
au premier plan	in the foreground
à l'arrière-plan	in the background
la toile/le tableau	canvas
le/la peintre	painter
le/la portraitiste	portrait painter
le/la paysagiste	landscape painter
le sculpteur	sculptor
la sculpture	sculpture
dessiner	to draw
une esquisse	sketch
collectionner	to collect
une collection (de tableaux)	collection (of paintings)

III

le chanteur/la cantatrice	singer
la partition	musical score
avoir l'oreille musicienne	to have a musical ear
la musique sacrée	religious music
profane	non-religious music
le chef d'orchestre	conductor
le premier violon	leader, first violin
l'opéra (*m*)	opera
le compositeur/la compositrice	composer
le/la soliste	soloist
le chœur	(church) choir, chorus
la chorale	choir
le concert	concert
le/la pianiste de concert	concert pianist

British Library Cataloguing in Publication Data

A catalogue entry for this title is available from the British Library

ISBN 0–340–65523 2

First published 1991
Second edition 1996
Impression number 10 9 8 7 6 5 4 3 2
Year   2000   1999   1998   1997   1996

Typeset by Columns Design and Production Services Ltd, Reading.
Printed in Great Britain for Hodder and Stoughton Educational, a division of Hodder Headline Plc, 338 Euston Road, London NW1 3BH by Cox & Wyman Ltd, Reading, Berkshire.